Adaptive Leadership

KB013879

Harvard
Business
Review
Press

어댑티브 리더십

2

방 안의 코끼리
시스템을 진단하라

로널드 A.하이페츠 • 알렉산더 그래쇼 • 마티 린스키 지음

ginger T project
진저티프로젝트

기후위기 대응을 '일'로 고민해 온 지 2년쯤 됐다. 그 전부터도 지구가 뜨거워지고 있고 그게 나쁜 일이란 것 정도는 알았지만, 딱 거기까지였다. 얼마나 시급하고 거대한 문제인지, 왜 이것이 나와 우리의 문제인지 깨닫게 된 것은 비로소 최근의 일이다.

뒤늦게나마 눈을 뜬 만큼, 기후변화를 막는 데 어떠한 역할이라도 하고 싶었다. 현장에서 변화를 만들어가는 이들을 동경하던 때이기도 했다. 여러 동료와 함께라면 뭐라도 해볼 수 있을 것 같은 마음이었는데, 2년을 돌아보니 길을 잃은 것 같은 날들이 더 많았다. 주제에 대해 알아가고 실질적인 변화 경로를 고민할수록, 어디에서부터 어떤 이야기를 시작해야 할지 곧잘 아득해진다.

'우아하게 작동하고, 완고하게 구축된' 지금의 세계에서, '기후변화'란 여전히 대부분 사람에게 당장의 나의 삶과는 무관한 주제다. 돌이킬 수 없는 변화가 일어날 정도로 지구 온도가 오르기까지 10년도 채 안 남았다는데, 그사이 무엇을 어떻게 해야 할까? 부동산이나 교육 정책 같은 것에 앞서, 기후 정책 같은 것들이 최우선 과제로 논의되는 날이 올 수 있을까? 지구가 열 개쯤 되듯, 무한한 소비와 끝없는 생산으로 굴러온 지금의 시스템에 균열을 낼 만한 개개인의 각성과 실천이란 건 가능할까? 아니, 그 전에 기후를 고민한다는 내 삶은 그 전과는 얼마나 달라졌나?

이런 '자조와 회의의 늪'으로 빠져드는 나를 건져내는 건, 나보다 이곳에서 오래 발 딛고 변화를 이야기해 온 나의 동료들이다. 손에 잡히지 않는 변화를 만들어내기 위한 모든 일이 아마도 그러할 테지만, 지금의 일을 시작한 뒤로 나는 이전에는 잘 쓰지 않았거나 없던 근육들을 만들고 키워내는 중인 것 같다. 예컨대 이런 것들, '세상은 바뀌지 않는다'는 허무주의나 '이런다고 뭐가 얼마나 달라지냐'는 자조주의 넘어서기. 나와 생각이 다른 이들을 쉽게 비판해버리는 나의 작은 마음과, 말과 행동 차이 간극을 쉬이 용인해버리는 비겁한 마음 넘어서기.

마주한 문제들을 회피하고 싶은 날이면, 아주 오래전부터 들리지 않고 가닿지 않는 이야기를 해 왔던 이들을 떠올리기로 한다. '우리'가 무엇까지 될 수 있을지, '함께' 이룰 수 있는 변화의 힘을 믿어보기로 한다. 그러고서도 마음이 잘 잡히지 않는 날엔 이책을 펼쳐 들어 구체적인 실행 리스트라도 훑어보기로 한다. 쉽게 지치지 않는 법, 불편한 이야기를 꺼내 볼 용기, 사람들의 옆구리를 찔러가며 마음을 모아보는 일 같은 것들에 대한 실마리를 찾겠다는 마음으로. 그것을 리더십이라고 부를 수 있을지는 아직 잘 모르겠지만, 희망하고 행동하는 것 외에 달리 앞으로 나아갈 수 있는 길이란 없으므로.

주선영 / 기후미디어허브 기후대응 커뮤니케이션 전문가 조직

$$\boxed{\text{목차}}$$

2부. **방 안의 코끼리** – 시스템을 진단하라

2.   **시스템을 진단하라**   11

2.1.   **조직을 진단하라**   15

조직의 기존 질서: 우아하게 작동하고, 완고하게 구축된   16

조직 구조의 영향력을 이해하라   27

조직의 문화를 드러내라   32

관행적 해석과 행동을 인식하라   48

2.2.   **어댑티브 챌린지를 진단하라**   55

변화 적응적 요소와 기술적 요소를 구별하라   58

말속에 감춰진 노래를 들어라   74

어댑티브 챌린지의 4가지 유형   77

2.3.   조직의 정치적 관계를 진단하라   99

행동에 영향을 미치는 가치들을 파악하라   105

충성심을 인정하라   107

잠재적 손실을 거론하라   113

감춰진 동맹 관계를 찾아라   115

2.4.   변화 역량을 갖춘 조직의 특징   123

방 안의 코끼리를 이야기한다   125

조직 미래에 대한 책임을 공유한다   128

모두의 독립적 판단을 가치 있게 여긴다   129

리더십 역량을 개발한다   130

성찰과 지속적 학습이 구조화되어 있다   133

용어 해설   140

한눈에 보는 어댑티브 리더십

어댑티브 리더십의 여정을 위해 생각해 볼 4가지

1. 변화를 이끄는 여정을 혼자 시작하지 말라
2. 인생을 리더십 실험실처럼 살아라
3. 성급하게 행동하지 말라
4. 어려운 선택을 통해 새로운 즐거움을 발견하라

	진단하기	행동하기
조직 system	**방 안의 코끼리** 시스템을 진단하라 · 조직의 구조와 문화, 관행을 진단하라 · 기술적 문제와 어댑티브 챌린지를 구별하라 · 조직의 정치적 관계를 진단하라	**시스템의 온도** 시스템을 움직이라 · 문제를 다양하게 해석하라 · 변화를 이끌어낼 효과적인 실행안을 디자인하라 · 정치적 관계를 고려하여 행동하라 · 갈등을 조율하라
자신 self	**내면의 현** 나를 들여다보라 · 자신의 충성심을 인식하라 · 자신의 내면의 현이 어떤 자극에 반응하는지 이해하라 · 대역폭―역량과 인내심―을 확장하라 · 자신의 역할과 권한범위를 이해하라 · 목적을 분명히 하라	**나만의 실험실** 나를 실험하라 · 목적이 살아있도록 하라 · 자신의 실패를 허용하라 · 사람들과 함께하라 · 실험적 사고방식을 가져라 · 자신을 안아주는 환경을 만들어라

2

시스템을 진단하라

Diagnose the System

의료 분야에서는 치료하기 전에 진단을 먼저 한다. TV 드라마 〈하우스〉를 보면 의사, 간호사, 기술자, 과학자, 의료 전문가가 함께 팀을 이루어 그들이 가진 재능과 지식, 열정을 총동원해 문제를 파악한다. 간혹 어떤 방법이 효과가 있을지 먼저 치료해보는 과정에서 병명이 확인되는 경우도 있지만, 대부분은 치료 이전에 문제를 진단하기 위해 실험을 하고, 시간을 투입해 아이디어를 모으고 토론한다. 그 모든 과정을 거친 후에야 비로소 치료가 시작된다.

하지만 많은 조직이나 국가에서는 진단의 과정을 건너뛴 채 치료 단계로 들어가 버린다. 문제의 본질을 파악하기 위해서 한 발 떨어져 생각하는 과정을 생략한 채 해결책을 도출하는 데 막대한 투자를 하고, 상황을 제대로 파악하지도 않은 상태에서 대규모의 새로운 전략과 프로그램을 시행한다.

미국이 이라크 전쟁에서 깨달은 것처럼, 심지어 어떤 국가는 상황을 제대로 파악하지 않은 상태에서 전쟁을 치르기도 한다. 이라크에 정말 대량 파괴 무기가 있는가? 미국은 이라크와 전쟁을 치르고 이라크의 평화를 유지하는 동시에, 아프가니스탄의 안보와 안정을 유지하는 일을 해낼 만큼의 충분한 인력이 있는가? 전쟁이 장기화 되더라도 안정적으로 국민의 지지와 재정 지원을 얻을 수 있는가? 장기전으로 갈 가능성은 얼마나 있는가? 장기전으로 가게 될 경우, 다른 나라들의 정치, 사회, 경제적 우선순위에 어떤 영향을 미칠 것인가? 이라크전이 발발하기 전, 에릭 신세키^{Eric Shinseki} 미군 참모총장은 전쟁에서 이기고 평화를 유지하기 위해서 수천 명의 병력이 필요하다고 의회에서 주장했지만, 당시 도널드 럼즈펠드^{Donald Rumsfeld} 국방부 장관은 그만한 병력은 필요 없다며 강하게 반박했다. 바그다드 점령 이후, 신세키 참모총장은 치안 유지를 위해 더 많은 병력이 필요하다고 다시 한번 주장했지만, 그는 결국 경질되고 말았다.

때때로 실력 있는 두 의학 전문가가 서로의 진단과 치료법에 강하게 반대하는 경우가 있다. 그런 경우 그들은 진단의 단계에 좀 더 머물러야 한다. 누구의 진단과 해석이 더 진실에 가까운지 판단하기 위해 계속 조사하고 더 많은 자료를 모아야 한다. 또한 데이터를 더 모을 수 있도록 실험적인 방법들을 작은 규모로 시도해보아야 한다. 진단이 제대로 이루어지지 않은 상황에서 치료의 단계로 넘어가는 것은 흔치 않다. 무엇이 문제인지 확실치 않지만 상황이 너무나 절망적이거나 위급한 경우에만 중대한 치료나 수술을 감행한다. 진단이 정확히 이루어졌다는 확신 없이 진행하기에는 대부분의 치료법은 너무 위험하고 비싸다.

사람들은 너무 자주 자신이 잘 알지 못하는 어려운 문제에 대해 마치 잘 알고 있는 것처럼 이야기해서 일을 잘못된 방향으로 이끈다. 온갖 추측이 난무하고 그들이 익히 알고 있는 기존 방식에 끼워 맞춘다는 사실도 모른 채 이미 알고 있는 방법대로 인지한다.

　　사람들은 진단을 빨리 내려야 한다는 강박에 시달리고, 신속하고 명확한 해결책을 기대하는 주변 사람들의 성급한 요구에 민감해지기 쉽다. 그래서 그들은 결정을 급하게 내리게 된다. 물론 사람들은 과감한 결단력 때문에 칭송을 받기도 하고 자신도 그런 행동을 자랑스럽게 여기기도 한다. 어떤 경우에는 이런 결단력과 단호함이 위대한 덕목일지 모르지만, 때로는 조직을 불확실한 상황으로 몰아넣게 되기도 한다.

2.1

조직을 진단하라

Diagnos the System

어댑티브 챌린지를 해결하는 첫 번째 단계는 발코니에 올라가는 것이다. 발코니에서 보면 조직 구조, 문화, 그리고 문제를 대하는 관행을 좀 더 명확하게 파악할 수 있고 현재 직면한 어댑티브 챌린지의 성격을 좀 더 쉽게 이해할 수 있다. 한편, 발코니에 오르는 것은 조직 내 역학 구조를 파악하는 데에도 도움이 된다. 이런 정치적 관계를 파악하면, 어댑티브 챌린지를 해결하기 위해 어떻게 사람들을 움직일 수 있는지 이해할 수 있다. 또한, 변화의 흐름 속에서도 성공하는 조직의 특징들을 이해하면 당신이 속한 조직이 변화에 적응할 수 있는 역량을 어느 정도 갖추었는지 평가할 수 있다.

조직의 기존 질서
: 우아하게 작동하고, 완고하게 구축된

조직의 기존 질서, 즉 조직의 현재 상태에 관한 이야기를 시작해보자. 조직의 기존 질서는 이미 진화의 과정을 거친 것으로써 조직에서 계속해서 발생하는 문제들과 기회들을 매끄럽고 우아하게 처리하는 기능을 한다. 조직은 과거에 존재했던 변화에 대한 압력, 문제, 기회에 창조적이고 성공적으로 대응해왔다. 시행착오를 거치면서 조직은 좀 더 새롭고 세련된 구조를 갖추었고, 문화와 규범을 발전시켰으며, 그 조직만의 고유한 업무수행 방식과 마인드셋을 만들어냈다. 그렇게 조직의 변화 적응이 일상의 루틴이 되었다. 다시 말하면, 과거에 이루어진 적응의 결과 때문에 오늘의 일상이 완성된 것이다. 즉 과거의 어댑티브 챌린지는 이제 기술적 문제가 되었다.

물론 조직은 인간의 몸처럼 매우 복잡하다. 조직의 구조, 문화, 관행은 그 조직을 규정하고 유지하는 역할을 하는데, 이런 것들은 끈질기게 느껴질 정도로 잘 변하지 않는다. 조직의 구조나 문화, 관행이 쉽게 변하지 않는 데에는 이유가 있다. 그것은 장시간에 걸쳐서 일어난 일이기 때문이다. 구조나 문화, 관행은 오랜 시간을 거치며 더 강력하게 발전해왔다. 만약 과거의 조직이 번성하는데 도움이 되지 않았다면 이런 것들은 진작에 사라져버렸을 것이다. 그러나 이제는 그런 구조나 문화, 관행 때문에 조직이 발전하기보다는 정체된 위기에 처해 있다. 하지만 그렇다고 해서 과거 수십 년 동안 그 구조와 문화, 관행 덕분에 조직이 변화에 훌륭하게 적응해 왔다는 사실을 간과해서는 안 된다.

시스템은 빠른 속도로 굳어진다. 조직이 시작된 첫날부터 조직의 여러 요소가 형태를 갖추기 시작한다. 조직의 구조, 문화, 관행 등은 그때부터 형성되는 것이다. 사람들은 다양한 결정을 한다. 서로 어떻게 상호작용할 것인가? 어떤 아이디어는 이야기해도 되고 어떤 아이디어는 입 밖에 내면 안 되는가? 어떤 농담이 적합하고 재미있는 것인가? 토론이나 회의에서 누가 발언권을 가질 것인가? 어떤 성과를 보상할 것인가? 이런 결정이 쌓여 조직의 구조, 문화, 관행이 형성되어간다. 많은 조직의 설립자, 최고 경영자, 임원이 조직의 구조, 문화, 관행을 바꿔보려고 애썼지만, 실패로 돌아간 경우가 많다. 조직 시스템은 그 자체로 생명이 있어서 그 시스템을 영속시킬 수 있는 조직원을 선택하고, 그들에게 보상을 주고, 더 나아가 그들을 시스템 일부로 만들어 버린다.

새로운 직장에 입사해서 첫 직원회의에 들어갔을 때를 기억하는가? '내가 어쩌자고 이런 곳에 들어왔지?' '여기에 어떻게 적응하지?' 아마 당신은 이렇게 생각했을 것이다. 하지만 몇 주 동안 직원회의에 참석하고 난 후, 다른 사람과 똑같이 행동하기 시작한 자신을 발견하지는 않았는가? 만약 그랬다면 당신은 조직의 시스템이 자신을 유지해가는 힘을 경험한 것이다.

조직의 시스템을 구성하는 구조나 문화, 관행이 뿌리내리는 것도 빠른 속도로 일어난다. 사람들이 모인 어떤 그룹이든 한두 번의 모임을 거치기만 해도 이런 과정이 진행된다. 사람들의 행동

패턴은 정형화되고 시간이 지날수록 이런 패턴은 더 굳어진다. 그 자리에 있는 모든 사람이 하는 모든 행동은 그 조직의 시스템이 만들어지고 유지되는 데 기여하는 것이다.

새로운 직장에 들어간 지 6개월 정도가 지나면 그 조직의 시스템이 가진 독특한 특징이 무엇인지 잘 느껴지지도 않을 것이다. 직장의 다른 사람들과 비슷한 옷을 입기 시작하고, 적절하다고 허용되는 농담을 주고받으며, 상사와 이야기할 때 적절한 톤을 사용할 것이다. 또한 상사나 부하직원, 동료들로부터 원하는 것을 얻는 데 필요한 행동을 하기 시작할 것이다. 이미 조직에서 어떻게 성공하는지를 체득한 것이다.

모든 조직은 각자가 기대하는 결과에 따라서 '성공'을 다르게 정의한다. 수익성을 향상하는 것이 성공일 수도 있고, 전 세계에서 에이즈를 퇴치하는 것일 수도 있으며 시장 점유율을 높이는 것이 성공일 수도 있다. 또한 공교육을 개선하는 것이 성공일 수 있고, 혁신적 제품을 개발하는 것이 성공일 수도 있다. 조직에서 기대한 결과가 나오는 행동을 하면 그 행동에 대한 포상과 축하를 받고 그렇지 못한 행동은 가치가 없는 것으로 여겨진다.

조직에서 적절하게 여기는 행동은 연말 평가, 승진, 포상, 보너스, 그리고 존속 등의 노골적인 방식으로 강경해진다. 하지만 그런 행동은 암묵적으로 강화되기도 한다. 예를 들어 상사가 회의에서 누구를 인정하고 무시하는지, 조직에서 사람들이 어떤 순간을 최고 혹은 최악이라고 이야기하는지, 조직에서 잘나가는 법에 관해 사람들이 무엇이라고 하는지를 살펴보면 조직이 어떤 행동을 암묵적으로 강화하는지 파악할 수 있다.

마티가 하버드 케네디 스쿨의 교수가 된 지 얼마 되지 않았을 때 자신의 멘토 교수와 대화를 나누게 되었다. 마티는 교수로서 앞으로 어떤 기회를 얻을 수 있는지 멘토에게 물어보았다. 그러자 멘토는 갑자기 마티의 말을 자르고는 이렇게 말했다. "마티, 나는 자네와 언제든 이런 대화를 할 용의가 있다네. 하지만 사적으로만 하세. 이런 이야기는 다른 사람들에게 말하지 않았으면 좋겠네." 멘토가 마티에게 보낸 메시지는 분명했다. 학교라는 조직 시스템에서는 개인이 야심을 드러내는 것이 부적절하다고 여기는 것이다. 직업적인 목표나 야심을 공개적으로 말하는 것은 권력과 지위를 잡으려는 것으로 간주한다. 교수 커뮤니티에서는 그런 행동을 학자의 책임을 다하지 않고 교수 자신의 장래에만 신경을 쓰는 것으로 해석될 수 있다.

조직 시스템을 만드는 구조, 문화, 관행은 시간이 흐를수록 조직 안에 깊게 뿌리내리고 강화되기 때문에 다시 구조화하기는 매우 어렵다. 모든 일이 잘 돌아갈 때는 괜찮다. 하지만 중요한 변화가 일어나기 시작하면 조직의 이런 경직성이 문제가 된다. 예를 들어 경제가 불황을 맞거나, 새로운 경쟁자가 등장하거나, 조직 창립자가 떠나거나, 고객 선호도가 급변하거나, 새로운 법안이 통과되거나 하는 큰 변화들이 조직에 닥쳐올 수 있다. 그런 크고 중요한 변화가 일어나면 조직의 경직된 조직 시스템은 새로운 환경에 적응하고 학습하며 성장하는 것을 방해하는 요인이 된다.

많은 조직이 기존에 효과적이던 과거의 방식을 고수하는 경향이 있다. '실행했을 때 효과가 있었던' 방식으로 사고하고 행동하면 성과가 있었기 때문에 조직은 효과가 검증된 방식으로 사고하고 행동하는 개인들에게도 보상해왔다. 그러므로 기존의 시스템에서 업무를 수행해온 능력 덕분에 높은 자리까지 올라간 사람들은 그 조직의 구조, 문화, 관행을 바꾸는 데에 거의 관심이 없다. 어느 정도 직업적 성공을 거둔 중간 관리자들에게는 과거의 성공 방식에서 벗어나는 것이 더욱 어렵다.

미국 정부의 장관을 지냈던 한 비영리 단체 창립자인 존 가드너는 이렇게 말했다. "젊은 리더들이 '미래를 그리는 사람'이 되지 못하고 '현실을 따르는 사람'이 되는 경우가 너무나 자주 일어난다. 그들은 시스템이 어떻게 작동하는지 오랜 시간에 걸쳐 학습하고, 복잡하게 구조화된 기존의 체계 속에서 보상을 받는 데 익숙해진다. 그들이 정상의 자리에 올랐을 때쯤에는 그 구조에 훈련된 포로가 되어 있을 가능성이 높다. 이런 현상이 꼭 나쁜 것은 아니다. 시스템이 살아 움직이고 있다는 증거이기 때문이다. 하지만 리더들이 그들이 속한 조직이 변화하고 성장하도록 돕지 않는다면 어떤 시스템도 오랫동안 생명을 유지할 수 없다."

어댑티브 챌린지는 독특한 특징이 있다. 가장 뛰어난 인재들이 조직을 떠나가는 '어댑티브 챌린지'를 예로 들어 설명해보자.

1. **의도Input한 대로 결과Output가 나오지 않는다. 전략이 의도하지 않은 결과를 낸다.**
   : 당신은 영업사원의 인센티브를 인상해주었다. 그런데 경쟁사가 이들을 더 유능하게 보기 시작한다. 결과적으로 더 많은 직원이 이직하게 되었다.

2. **공식적 권한만으로 문제를 해결하기 어렵다. 변화를 만들기에는 당신의 공식적 권한이 충분하지 않다.**
   : 당신은 영업부의 매니저에게 실력이 뛰어난 직원들을 멘토링 하는 시간을 더 투자하라고 말한다. 하지만 그들은 따르지 않는다.

3. 조직 내 각각의 그룹들은 서로 다른 결과를 원한다. 어떤 그룹은 당신이 제안한 변화를 환영하고 어떤 그룹은 저항한다.

: 당신은 매니저에게 새로운 사업 개발에 집중할 수 있도록 유능한 부하직원에게 충성 고객들을 관리하는 업무를 넘겨주라고 제안한다. 하지만 매니저는 다년간 유지해온 고객들과의 관계와 쉽게 매출을 일으킬 수 있는 상황을 잃게 되는 것을 불평한다. 또한 부하직원들이 자기들 대신 좋은 기회를 얻게 되는 것에도 불만을 표한다.

4. 과거에는 매우 성공적이었던 방법들이 시대에 뒤떨어진 것 같이 보인다. 과거에는 효과가 있었던 방법이나 기술들이 새로운 도전 과제에는 적절하지 않거나 너무 시대에 뒤떨어져 보인다.

: 젊은 세대는 더 많은 급여를 받는다고 해서 회사에 충성심이 더 생기지는 않는 것 같다.

어댑티브 챌린지는 서로 영향을 주고받는 요소들이 복잡하게 얽혀 있다. 당신이 속한 조직(시스템)은 더 큰 시스템(그 조직이 속한 산업이나 분야)이 가지고 있는 특징들을 보여준다.

경제활동에 관여하는 주요 분야―비영리 분야, 영리 분야,

공공 분야—를 살펴보자. 각각의 분야는 독특한 특징을 지니고 있는데, 이런 특징 때문에 새롭게 발생하는 변화에 적응하지 못하기도 한다. 그 예로,

- 비영리 분야의 조직은 보통 사명을 기반으로 움직인다. 어려운 의사 결정 과정에서 모든 사람이 목소리를 내고, 모두가 합의하여 의사를 결정하는 것을 중요하게 생각한다. 게다가 거부권을 행사할 수 있는 권한이 모든 구성원에게 있다.

- 영리 분야에서 조직은 이윤 추구가 중심이 되고 매우 경쟁적인 환경에서 운영된다. 그들을 둘러싼 시장 상황이 급변하고 이윤이 감소하는 상황에서도 과거에 수익을 냈던 사업을 보호하려는 경향이 있다.

- 공공 분야는 위험을 회피하고, 안정 지향적이며, 시장의 경쟁 상황에 적응해야 한다는 압력으로부터 영향을 덜 받는 편이다.

당신은 여러 개의 시스템에 속해 있으며, 여러 개의 시스템을 동시에 작동시킨다는 것을 이해해야 한다. 그래야만 직면한 어댑티브 챌린지를 제대로 이해하고 해결할 수 있기 때문이다.

발코니에서 바라보기

Q 1 당신의 조직이 속해 있는 분야(비영리 분야, 영리 분야, 공공 분야)를 생각해보라. 그 분야의 특징적인 문화가 당신의 조직이 운영되는 방식에 어떤 영향을 미치는가?

Q 2 당신이 속한 조직이나 가족의 특징적 규범을 나열해보라. 그런 규범들은 당신이 속한 조직이나 가족이 어댑티브 챌린지에 대응하는 데 어떤 영향을 주는가?

현장에서 적용하기

팀원들과 한자리에 모여보라

Q 1 팀원들에게 현재 직장으로 이직해서 적응할 때 무엇이 가장 어려웠는지 물어보라.

Q 2 그들이 조직에 좀 더 쉽게 적응하기 위해 스스로 어떤 전략을 사용했는지 질문해보라.

Q3 그 전략이 새로운 역할이라는 어댑티브 챌린지에 더 잘 대처하게 했는지 서로 이야기해보라.

팀이 최근에 겪은 위기나 문제에 대해 생각해보라

Q1 그 위기나 문제 속에서 일어났던 일들을 떠올려보라. 기억할 수 있는 최대한 오래된 일까지 생각해 보면 좋다.

Q2 팀원들이 각자가 기대했던 결과는 무엇이었는지, 그리고 그 결과를 위해 공식적인 역할 이외에 시도했던 다른 역할이 있었는지 이야기해보라.

Q3 원하는 결과를 도출하는 과정에서 어떤 중요한 새로운 행동, 태도, 업무수행 방식이 생겨났는지 물어보라. 향후 어댑티브 챌린지에 대처해나갈 때 이런 새로운 강점들은 어떻게 사용될 수 있는가?

모든 조직은 전체가 하나의 시스템이기도 하지만 동시에 하위 시스템들의 집합이기도 하다. 그러므로 주변에서 일어나는 일을 다차원적인 시각으로 마주해야 한다. 다차원적 시각을 갖추기 위해서는 세 가지 요소, 즉 하위 시스템을 고려하여 상황을 바라보아야 한다. 세 가지 요소는 구조(인센티브 프로그램 등), 문화(규칙과 회의 절차 등), 관행(문제를 해결하는 일반적인 절차나 사고하고 행동하는 방식 등)을 말한다. 이런 하위 시스템들은 사람들이 변화 적응적 압력에 반응하고 대처하는 방식에 지대한 영향을 미친다.

조직 구조의 영향력을 이해하라

조직의 공식적인 하위 구조는 전체 시스템에서 일어나는 모든 활동에 대한 규칙을 만들고, 그 활동이 어디에서 일어나야 하는지 규정한다. 예를 들어 구조는 조직 내의 특정 행동이나 태도(실수하지 않거나, 새로운 사업을 기획하거나, 고객을 만족하게 했을 때)에는 보상하기도 하고, 어떤 행동과 태도(모험적인 시도를 하거나, 기존 고객을 위한 서비스를 늘리거나, 직원 사기를 높이는 데 집중하거나)를 은근히 못 하게 만든다. 조직도, 보고 체계, 의

사소통 방식, 법률/규칙, 고용 계약, 채용 절차, 보상 체계 등이 이런 구조의 예다. 각각의 구조는 사업 환경이 변화할 때 조직이 변화에 적응하는 능력을 높일 수도 있고 제약할 수도 있다. 시간을 내어 발코니로 올라가라. 그리고 현재 당신이 속한 조직의 구조와 그 영향을 생각해보라.

발코니에서 바라보기

현재 조직의 보상 시스템을 살펴보라

Q 1 현재 조직의 보상 시스템은 구성원들에게 어떤 행동을 장려하는가?

Q 2 어떤 행동을 장려하지 않는가? 장려된 행동은 조직의 전략적 목표들을 얼마나 효과적으로 지원하는가?

Q 3 회사 조직도를 살펴보라. 어떤 부서와 역할이 가장 중시되는가 혹은 가장 경시되는가?

Q 4 누가 누구에게 직접 소통이 가능한 구조인가? 이런 구조를 염두에 두고 생각해보자. 누구와 누가 함께 일하도록 구조화되어 있는가? 혹은 누가 혼자 일할 수밖에 없는가?

Q 5 부서와 팀은 어떻게 조직되어 있는가? 누가 누구에게 보고하는 구조인가? 이런 보고 체계 아래에서 누가 의사결정에 영향을 끼치는지 파악할 수 있는가?

Q 6　최근 조직이 채용한 고위급 임원이나 경영진을 생각해보라. 그 과정이 어떠했는가? 그 사람은 공식적으로 조직의 누구를 만났는가? 이런 과정은 무엇을 의미하는가? 즉 새로운 사람이 조직과 어떻게 상호작용하도록 구조화되어 있는가?

Q 7　이사회의 크기, 구성원의 요건, 선출 제도, 월급 등은 조직에 대해 무엇을 말해주는가? 조직에서는 결정이 어떻게 이루어지고 있으며, 어떤 가치가 어떻게 존중되고 있는가?

현장에서 적용하기

Q 1　팀원들과 함께 조직의 사명을 칠판이나 플립 차트에 적어보라. 그리고 두 개의 칸을 그려보라.

왼쪽 칸에는 사명을 이루는 데 도움이 되는 조직 구조를, 오른쪽 칸에는 사명을 이루는 데 방해가 되는 구조를 열거하라. 아래 예시와 〈표2-1〉을 참고하면 된다.

예) 우리의 사명: 어려운 상황에 놓인 사람들의 삶의 질을 향상한다.

사명을 이루는 데 도움이 되는 조직 구조	사명을 이루는 데 방해가 되는 조직 구조
비영리 조직에서 일한 경력이 있거나, 공익적인 봉사를 오랫동안 해왔던 사람을 고용하는 것을 강조한다.	기부자로부터 규모가 큰 기부금을 유치한 직원에게 포상이 수여되고, 여러 가지 형태의 인정이 돌아간다(지역 사회 멘토링 프로그램을 만드는 것과 같은).

재정적이 아닌 방식으로 사명을 수행한 직원들은 인정을 덜 받는다. |

〈표 2-1〉

조직의 문화를 드러내라

조직의 문화는 스토리(사람들이 자주 하는 이야기로, 조직에서 무엇을 중요하게 여기는지를 알려주는 이야기), 리추얼(신입 사원이 들어왔을 때 환영하는 방식 등), 규범(조직에서 예의를 표하는 방식이나 복장에 대한 규정 등), 회의 규칙(문제를 해결하거나 의사를 결정하는 방식 등)으로 구성된다. 이 모든 문화적 요소는 조직의 변화 적응력에 영향을 미친다.

조직의 구조와는 달리, 조직의 문화는 기록되지 않거나 공식적인 문서로 정리되지 않은 경우가 많다. 그래서 조직 문화를 간결한 표현으로 묘사하기 어려울 수 있다. 하지만 구조와 마찬가지로, 문화는 어떤 행동이 조직에서 적합하게 받아들여지는지 아닌지를 강력하게 규정한다.

잘 알고 있는 조직인 당신의 가족을 한번 생각해보자. 감정을 표현하는 가족의 문화적 규칙은 무엇인가? 감정을 나타내는 것이 건강한 상호작용으로 받아들여지는가? 아니면 연약함을 나타내는 것으로 받아들이는가? 가족들에게 어떤 감정을 표현하는 것이 괜찮은가? 어떤 상황에서 감정을 표현해도 괜찮은가? 예를 들어 많은 가정에서 화를 내는 것은 적절치 않다고 생각한다. 슬픔이나 부정적인 감정을 표현하는 것은 금지되는 경향이 있다. 한편 우리가 알고 있는 어떤 가족은 행복한 감정을 표현하는 것을 금기시하는 문화를 가지고 있기도 하다. 그들은 인생은 매우 힘든 것이라고 믿기 때문에 행복을 드러내는 것은 인생을 진지하게 대하지 않는 것이며 충분히 노력하지 않은 것이라고 여긴다. 당신의 가족은 어떠한가? (화를 내거나 부정적인 감정을 표현하는 것이나 행복감을 드러내는 것이 자연스럽고 전혀 문제가 되지 않는 가정도 많다)

어댑티브 리더십을 발휘하기 위해서는 조직의 문화를 이해해야 한다. 그뿐만 아니라 조직 문화의 어떤 부분이 변화를 촉진할 수 있는지, 또는 어떤 부분이 변화를 방해하고 있는지 진단할 수 있어야 한다. 그러나 많은 경우 조직의 난제를 해결하는 역할을 맡은 사람들은 조직 문화를 진단하는 데 충분한 시간을 쏟지 않는 경향이 있다. 아마도 조직 문화는 공동체 문화, 민족 문화, 가족 문화와 비교할 때 개인적으로 가깝게 느껴지지 않기 때문인 듯하다.

하지만 가족과 마찬가지로, 각각의 구성원은 조직 문화를 만들어내기도 하고 조직 문화로부터 영향을 받기도 한다. 어떻게 하면 발코니에 올라가서 조직의 문화를 진단할 수 있을까? 조직 문화의 네 가지의 신호인 스토리, 리추얼ritual, 규범, 회의 절차를 하나씩 살펴보는 것으로 시작해보자.

스토리 Folklore

다른 공동체들에서도 그러하듯이 조직에서도 사람들은 오랫동안 이야기할 수 있는 에피소드, 농담, 무용담을 만들어낸다. 그리고 그런 스토리를 통해 사람들은 자신의 주변에서 일어나는 사건과 환경을 이해하고 해석한다. 스토리는 지속성이 강하다. 스토리 안에는 구성원들이 이 조직에서 가장 중요하게 생각하는 것을 상징하는 이미지와 아이디어가 담겨 있기 때문이다. 그런 스토리는 반복해서 전달된다. 스토리는 커피 자판기 앞에서, 식사 자리에서, 오리엔테이션에서, 조직을 떠나는 직원의 환송회에서 반복된다. 스토리는 조직이 어떻게 운영되고 구성원들이 무엇을 중요하게 여기는지에 대한 진실을 담고 있음으로 오랫동안 지속된다.

하지만 스토리는 강력하고 반향이 크기 때문에 다른 중요한 정보들을 불분명하게 만들어버리기도 한다. 따라서 조직이 어떻게 운영되는지 이해할 수 있는 전체적인 이야기를 원한다면, 각각의 스토리를 풀어서 행간을 읽어야 한다. 조직 안에서 어떤 것이 허락되고 어떤 것은 금지되는지를 이해할 수 있는 단서를 찾으면서 말이다. 스토리에서 발견한 것을 통해 조직이 얼마나 위험을 감수하는지, 얼마나 단호한지, 얼마나 가치를 중요시하는지, 얼마나 유연한지 등을 이해할 수 있다. 이런 것들을 통해 당신은 조직이 변화에 잘 대처할 수 있는지 파악할 수 있다.

조직에서 흔히 들어봤을 이야기
- 상사의 의견에 공개적으로 동의하지 않을 때 무슨 일이 일어났는지
- 누가 왜 해고되었는지(특히 고위 간부나 경영진) 또는 왜 퇴사했는지
- 조직에서 가장 오래 근무한 사람은 어떻게 그렇게 오래 있을 수 있었는지
- 창업자들이 왜 회사를 만들었고 왜 떠났는지(또는 남아있는지)
- 사람들이 아직도 이야기하는 작년 파티에서는 도대체 무슨 일이 있었는지
- 지난번 임원진의 사외 모임에서는 무슨 일이 있었는지
- 이사회 안에서는 누가 실제 권력을 가졌는지
- 대표는 누구를 신뢰하고 누구의 말을 듣는지
- 조직이 어떻게 큰 성공을 이루어냈는지 또는 큰 실패에서 어떻게 회복했는지

Q 1 조직에서 해고되었거나, 자발적으로 퇴사했거나, 빠르게
승진한 두세 명을 떠올려보자. 이들에게 무슨 일이 있었
는지에 대해 조직에서 공식적으로 이야기하는 스토리는
무엇인가? 그런 공식적인 이야기가 당신이 복도에서 들은
이야기와 다르다면 어떻게 다른가?

Q 2 조직 안의 다양한 이야기를 통해 알 수 있는 조직에서 적
합한 행동과 부적절한 행동은 무엇인가? 스토리를 통해
본 조직의 변화 적응력은 어느 정도인가?

Q1 당신의 팀원들에게 조직의 가치를 나타내는 조직 내 사건이나 사고에 대해 간략하게 적어보라고 요청하라. 무기명으로 쓰도록 하라. 이야기를 모아서 다음번 워크숍에서 토의해보라.

Q2 팀원들과 일대일로 만남을 요청하라. 그리고 지난 6개월 동안 조직에서 이룬 가장 큰 성공에 대해 2분 동안 이야기를 나눠보라. 각 사람과의 만남을 모두 녹화하라. 팀원 모두가 모여서 녹화된 내용을 함께 보라.

이런 이야기들이 조직 문화에 관해 무엇을 알려주는지 함께 토론하라. 예를 들어, '결단력'이나 '유연성 부족' 같은 주제가 대부분의 이야기에 들어 있을지 모른다. 회사의 변화 적응 역량에 대해 이와 같은 이야기들이 무엇을 시사하는지 논의해보라.

리추얼 Rituals

모든 조직에는 리추얼이 존재하는데, 리추얼이란 유사한 상황에서 반복되는 관행을 말한다. 조직에는 다양한 성격의 리추얼들이 존재한다. 생일 파티, 정기적으로 진행되는 회의, 기부 목적으로 열리는 특별 행사, 기념일, 조직이 이룬 큰 성취를 기념하는 이벤트(예를 들어 새로운 사업을 유치하거나 큰 프로젝트를 마무리한 것, 장기근속 직원의 은퇴를 기념하는 이벤트) 등이 리추얼의 사례라고 할 수 있다. 조직이 어떤 리추얼을 만들기로 하고 어떤 리추얼을 만들지 않기로 했는지를 관찰하면, 조직의 변화 적응력에 대해 많은 것을 알 수 있다.

반대로 사람들을 어댑티브 챌린지에 대처하도록 동기 부여하기 위해서는 어떠한 프레임frame, 즉 어떠한 리추얼을 사용해서 사람들에게 적응적 변화를 이해시켜야 하는지를 알 수 있다. 예를 들어 조직은 그동안 큰 성공이나 완전하게 마무리된 성공들에 대해서만 축하해왔을 수 있다. 그렇다면 앞으로는 프로젝트가 완수되기 훨씬 전부터 프로젝트의 진행 과정에서 성취된 의미 있는 단계milestone들을 모두 축하하는 행사를 열어보라. 조직이 개인의 성공을 축하하고 싶다면 앞으로는 혁신적이고 현명한 방법으로 이루어진 모험들, 즉 위험을 감수하면서도 지혜로웠던 행동에 대해 인정하고 격려하는 프로그램을 만들어볼 수 있다.

발코니에서 바라보기

Q 1 조직의 리추얼들을 나열해보라.

그것은 무엇을 축하하고 기념하는가? 일에서의 성취인가? 가족과 좋은 시간을 보내기 위한 것인가? 부서 간의 상호작용을 촉진하려는 것인가? 그런 리추얼들이 조직의 변화 적응 역량에 대해 무엇을 말해주고 있는가?

현장에서 적용하기

Q 1 조직이 변화에 적응하는 데 도움을 주는 행동이 무엇인지 생각해보고, 그런 행동을 장려하는 프로그램을 기획하라. 예를 들어 마티는 영업부서 매니저였을 때 위험을 기꺼이 감수하고 실수를 인정하는 데 도움이 되는 안전한 환경을 만들기 위해 '최고의 실패'라는 의식을 만들었다. 매주 월요일이면 모든 직원이 모여서 지난주 자신이 실수로부터 배운 것들을 나눈다. 그렇게 실패의 경험을 나눈 직원은 다른 팀원들의 학습에 기여한 것으로 인정받아 재미있는 상을 받는다.

집단 규범 Group Norms

집단 규범은 조직 내의 구성원들이 상호작용하는 방식에 영향을 미치고 더 나아가 조직의 변화 적응 능력에 영향을 준다. 젊은 시절 알렉산더는 마이크로소프트에 입사 면접을 본 적이 있다. 그는 마이크로소프트 직원 모두가 청바지를 입는다는 친구의 말을 들었기 때문에 청바지를 입고 면접을 보러 갔다. 그러나 그는 면접에서 떨어졌고 나중에서야 새로운 사실을 알게 되었다. 마이크로소프트에서는 채용 후에는 괜찮지만 채용 전 면접에서 지원자가 청바지를 입는 것은 부적절하게 여긴다는 것이다. 조직의 규범들은 복장과 관련된 것뿐 아니라 다음과 같은 여러 행동에서도 나타난다.

조직의 집단 규범을 파악할 수 있는 질문

- 누가 누구를 부를 때 존칭을 뺀 이름으로 부르는가?
- 조직 내에서는 무엇이 적절한 선물인가?
- 사람들이 사적인 교제를 하는가? 그렇다면 어디서, 어떤 방식으로 친목을 도모하는가?
- 누구의 사무실 방문이 열려 있는가? 혹은 닫혀 있는가?
- 어떤 종류의 농담이 허용되는가? 어떤 종류의 농담은 나쁘다고 간주하는가?

- 식사 자리에서 누가 서로 같이 앉는가?

　　이런 규범들은 그 조직이 얼마나 변화 적응적인지 판단할 수 있는 정보와 단서를 제공한다. 당신은 이런 규범들이 조직에 새로운 학습의 기회를 만드는지, 아니면 기존의 질서를 강화하는 데 기여하고 있는지 알아볼 수 있다. 만약 점심시간마다 늘 같은 사람들끼리 항상 앉아 식사하는 경향이 있다면, 이것은 조직의 오래된 규범을 강화할 것이다. 만약 점심시간마다 사람들이 새로운 조합으로 앉는다면, 조직 내의 상호 교류가 증가하고 새로운 아이디어가 나올 가능성이 훨씬 커진다.

Q 1 조직에서 어떤 행동을 부적절한 것으로 간주하는가? 고함 치는 것인가? 토론을 치열하게 하는 것인가? 격식 없는 복 장을 하는 것인가? 점심시간을 오래 갖는 것인가? 주말 휴 가를 길게 쓰는 것인가? 정시에 퇴근하는 것인가?

이런 규범들을 통해 파악할 수 있는 조직 문화는 무엇이 며, 조직의 변화 적응력은 어떻다고 판단할 수 있는가?

Q 2 입사 첫날을 떠올려보라.

조직의 어떤 규범이 가장 놀랍게 느껴졌는가? 그 규범을 받아들이고 내재화하였는가? 만약 그랬다면, 얼마나 빨리 그 규범을 내재화하였는가?

이런 경험을 통해, 조직이 기존 질서를 강화해가는 방식 에 대해 무엇을 알 수 있는가?

Q 1   조직이 변화에 더 유연해지는 데 도움이 되는 규범을 생각해보라. 두세 명의 동료들을 모아서 함께 고민해보고 적절한 때가 되면 이를 시도해보라.

예를 들어 다음과 같은 규범을 시도해 볼 수 있다. '회의에 참여한 사람들은 회의를 마무리하기 전, 5분 정도를 할애하여 팀이 이룬 성과와 개인의 효율성을 생각해보는 시간을 갖는다.' 이런 규범을 소규모로 실험해보고 무슨 일이 일어나는지 관찰하라.

회의 규칙Meeting Protocols

조직의 회의 규칙을 살펴보면 그 조직의 변화 적응력에 대해 많은 것을 알 수 있다. 회의 규칙에는 다음과 같은 내용이 포함된다. 어떤 종류의 회의가 정기적으로 열리는지, 누가 참여해야 하는지, 회의 주제가 어떻게 결정되는지 등이다. 또한, 회의 규칙을 보면 조직 내의 권한이 어떻게 분산되어 있는지, 어떤 정보들이 교환되고 있는지도 알 수 있다.

한편 회의 규칙과 관련해 아래와 같은 질문들을 던져보면 조직 문화와 변화 적응력의 더 깊은 측면을 파악할 수 있다.

조직의 회의를 들여다보는 질문

• 회의는 주로 의사결정을 위해 열리는가? 아니면 정보 공유를 위해서인가? 창의적인 생각을 표현할 수 있고, 실수로부터 학습할 수 있는 여지가 있는 회의인가? 아니면 그저 상사로부터 지시를 받기 위한 회의인가?

• 회의에서 결정이 이루어진다면, 결정에 대한 규칙은 무엇인가? 어떻게 결정이 이루어지는가? 참석자들은 토의에 참여하고 의견을 제시하지만, 최종 결정은 리더가 하는 방식인가? 아니면 다수결의 원칙으로 결정하는가? 아니면 만장일

치로 결정하는가? 상황과 목적은 의사결정 규칙에 어떻게 반영되는가? 모든 결정이 한 가지 규칙으로 이루어지는가? 아니면 문제나 상황을 고려해 다른 규칙들을 적용하는가?

- 회의 참석자들은 자신의 전문 분야가 아닌 주제에 대해서도 의견을 말할 수 있는 권한이 있는가? 만약 그렇다면 새로운 아이디어에 대해서 충분히 받아들여지는가, 아니면 무시되는 경향이 있는가? 자유로운 사고, 창조적인 아이디어, 실현 가능성이 낮은 의견들도 가치 있게 여겨지는가?

- 참석자들은 회의 내용에 대해 어느 정도까지 팀원들에게 공유해야 하는가? 정보 공유에 대한 기대와 요구의 수준은 어느 정도인가? 정보가 공유되었을 때, 공유된 정보를 현재의 업무와 상황에 반영하기 위해, 어떤 작업이 이뤄지는가?

- 회의에서 가장 직급이 높은 사람의 역할은 무엇인가? 진행자인가? 의사결정자인가? 질문자인가? 선동자인가? 그 사람은 반대 의견이나 갈등을 드러낼 여지를 만드는가 아니면 그런 여지를 막아 버리는가?

발코니에서 바라보기

Q1 당신이 참석하게 될 다음번 회의(직원 회의, 팀 회의 혹은 간부 회의)에서 무슨 일이 일어나는지 자세히 관찰하라. 그리고 앞 장의 질문들에 답해보라.

당신이 속한 조직의 문화와 변화 적응력에 대해 무엇을 알게 되었는가?

현장에서 적용하기

Q1 당신이 주관하는 정기적인 회의가 있다면, 사람들이 변화를 통해 학습하고 변화에 적응해나갈 수 있도록 새로운 방식을 회의에 도입해보라.

당신이 시도할 수 있는 몇 가지 방법을 소개한다.

모든 참석자에게 1분 동안 명상을 하도록 한다. 지난 한 주 동안의 가장 의미 있었던 깨달음을 나눠보는 것도 좋다. 더 집중해야 할 주제에 관해서는 토론할 시간을 좀 더 많이 할애하라. 실수한 사례를 이야기해보고 이를 통해 서로 배울 기회를 제공하라.

Q 2 당신이 새로운 방식을 시도하기로 할 때마다 이 방식이 일종의 실험이라는 것을 모두에게 설명하라.

각 회의를 마무리할 때나 월말 회의를 할 때 그 방식이 어떤지 사람들의 생각을 물어보라. 그 방식의 장점 및 단점이 무엇이라고 생각하는지 질문하라. 새로운 방식 덕분에 회의에서 생겨난 변화가 있는지 관찰해보라. 이전보다 더 많은 의견이 교환되는가? 평소에는 조용하던 참석자들이 더 많이 참여하게 되었는가? 더 많은 토론이 이루어지고 있는가?

관행적 해석과 행동을 인식하라

조직의 구조와 문화는 조직이 시스템으로써 어떻게 운영되고 있는지, 변화에 얼마나 잘 대응할 수 있을지를 알려준다. 한편, 구조와 문화 외에도 조직이 문제를 해결해가는 통상적인 방식, 즉 관행default을 살펴보면 그 조직의 운영 방식과 변화 적응력에 대해 많은 것을 통찰할 수 있다. 관행은 사람들이 상황을 바라보는 방식이다. 다시 말하면, 관행이란 과거에 바람직한 결과를 냈거나 사람들이 익숙하게 느끼는 행동 방식을 말한다. 관행은 사람들에게 익숙하기에 조직은 관행에 의존하는 경향이 있다. 조직은 관행에 의존하는 경향이 있다. 관행은 사람들에게 익숙하고 현재 상황을 설명하기에 유용할 뿐 아니라 과거에도 문제를 해결했기 때문이다.

사람들은 과거 특정한 상황에 대처했던 어떤 방식이 매우 효과적이었다고 생각하면 그 상황과 유사해 보이는 상황을 맞닥뜨릴 때마다 같은 반응을 반복해 보이기 쉽다. 성공할 것이 분명한데 왜 주저하겠는가? 하지만 관행적인 대응의 효과가 지속될수록, 관행적인 행동은 더 많이 반복된다. 그리고 이러한 관행이 반복되면 조직이 변하기 어렵다. 조직이 새로운 현실에 맞닥뜨려 이전과는 다른 대응 방식이 필요할 때에도 조직은 쉽게 변하기 어려운 것이다. '중동 지역에서 반복된 관행'은 이를 설명하는 사례다.

중동 지역에서 반복된 관행

2006년 여름, 레바논 남부에서 이스라엘과 헤즈볼라 간의 전쟁이 발발하자 미국 내의 유대인 공동체들은 이 위기를 수습하기 위해 '이스라엘의 비상사태를 위한 캠페인' IES: Israel Emergency Campaign을 시작했다. 캠페인이 시작되자 몇 주 만에 3억 달러의 모금이 이루어졌다. 이 기금은 헤즈볼라 미사일로 파괴된 이스라엘 북부 지방을 재건하고, 전쟁으로 흩어진 가족을 구제하기 위해 마련된 것이었다. 이런 대응은 매우 주목할 만한 일이었다. 하지만 동시에 미국 유대인 공동체의 이런 대응은 사실 이전에 시도되어 효과가 입증된, 매우 예상 가능한 반응이었다. 다시 말해서 이 전쟁을 바라보는 일종의 패러다임이 이미 존재했고 그 패러다임은 다음과 같은 것이었다. '이스라엘의 생존이 위협받고 있다. 그렇다면 미국의 유대인 공동체는 이스라엘을 보호하고 재건하는 것을 도와야만 한다.'

IES의 모금은 의심할 여지 없이 이스라엘의 복구에 크게 이바지했다. 하지만 미국의 유대인 공동체가 이스라엘 위기 상황마다 보이는 이런 관행적인 반응은 한편으로 더 나은 결과를 가져올 수도 있었을 다른 선택을 생각하지 못하게 하는 효과도 있다. 미국의 유대인 공동체가 다른 역할을 할 수는 없었을까? 예를 들어, 구조대와 같은 역할이 아니라 안보를 함께 지켜가는 파트너의 역할을 할 수는 없었을까? 여기 실제 사례가 하나 있다. 꽤 큰 유대인 조직의 원로 지도자 한 사람이 유대인 공동체들에 한 가지 제안을 하면서 이메일을 보냈다. 그는 이스라엘뿐 아니라 전쟁의 피해를 같이 입은 남부 레바논을 위해서도 기금을 모으자고 제안한 것이다. 하지만 그의 제안은 전혀 지지를 받지 못했고, 도리어 상당한 비판을 받았다. 결국 그는 자신의 제안을 철회했고, 그의 계획은 없던 일이 되었다. 레바논 재건의 상당 부분은 헤즈볼라에 의해 이루어졌다. 헤즈볼라는 이 기회를 이용하여 어려움에 부닥친 레바논 사람들에게 후원자로서 자리매김하게 되었다.

관행적으로 해석하면 관행적으로 행동한다. 관행적인 해석을 하면 사람들은 친숙한 환경 안에서 조직의 강점을 활용해 행동하려고 한다. 이것은 지극히 합리적으로 보일지 모르지만, 사실 이런 관행적 해석과 행동은 여러 면에서 제약이 될 수 있다. 이런 해석과 행동이 사람들의 시야를 좁게 만들어버릴 수 있기 때문이다. 더 큰 가치를 만들어낼 수 있는 다양한 아이디어나 폭넓은 범위에서 고려해볼 수 있는 해결책을 생각하지 못하게 만드는 것이다. 특정 상황과 순간에서는 효과적이던 관행이 다른 장소나 다른 시간에서는 그렇지 않을 수 있다. 사람들은 새로운 상황을 관행적 사고, 즉 이전의 효과가 있었던 관점으로 보려는 경향이 있다. 그렇게 되면 사람들은 새로운 상황이 가진 독특한 면을 보지 못하고 새로운 해결책을 개발하지 못한다. 조직이 새로운 상황에 계속 관행적으로 대응하면 그 조직의 행동은 예측이 가능해진다. 그리고 이 예측 가능성은 경쟁자나 적에게 유리하게 작용한다.

예를 들어 중동의 극단주의자들은 평화를 위한 노력을 쉽게 방해할 수 있다. 극단주의자들은 폭력을 사용하면 상대방도 폭력적으로 반응한다는 예측 가능성을 이용하여 공격성이 계속 강화되는 사이클을 만들어 온건주의자들이 방어적 태세를 취하도록 한다. 결국 양측이 폭력을 주고 받은 후에는 각 지역의 온건주의자들은 적과의 타협을 고려했다는 이유로 내부에서 공격을 받는다. 또 다른 예는 선거 캠페인에서 도발적인 선전으로 상대방을 자극하며 논쟁 내용을 바꾸는 것이다. 상대방의 예측 가능한 반응은 또 다른 도발적인 선전의 소재가 되고 결국 논쟁의 초점은 급속도로 흐려진다.

조직이 변화에 적응하는 데 관행적인 해석과 행동이 큰 걸림돌이 될 수 있다는 것은 놀라운 일이 아니다. 그러므로 우리는 외부의 변화를 주시하는 동시에 조직 내의 관행적 해석과 행동을 관찰해야 한다. 사업을 둘러싼 환경이 변하고 있는가? 어떤 핵심적인 요소가 변하고 있는가? 이런 변화에 대처하려면 새로운 행동이 필요한가? 변화에 제대로 대응할 수 있는 조직은 새로운 도전에 직면했을 때, 관행적 사고와 해석을 넘어서 상황을 볼 수 있는 조직이다.

조직의 관행을 뛰어넘기 위해서는 불편하고 위험한 행동을 시도해야 한다. 그래야만 하는 이유는 조직이 처한 상황이 변화했기 때문이다. 사실 관행이 더는 유용하지 않다는 것을 오래전부터 깨달았음에도 불구하고 조직이 관행에 매달리는 것은 관행대로 사고하고 행동하는 것이 익숙하기 때문이다.

발코니에서 바라보기

Q 1 조직의 관행적인 해석을 찾아보라.

그것은 어떤 세계관에 기초하고 있는가? 이런 관행적 해석은 어떤 예측 가능한 행동을 만들어내는가? 무엇이 그 관행을 만들었는가? 그 관행은 어떤 상황에서 효과적이고, 어떤 상황에서는 그렇지 않았는가? 그 두 상황의 차이점은 무엇인가?

Q 1   다음 회의에 참석할 때 심장 박동수를 점검하는 것처럼 당신의 에너지 레벨을 확인해보라.

무엇이 에너지 레벨을 높이거나 낮추는지 주목하라. 회의 내용인가? 갈등 상황인가? 실행 전략인가? 당신의 반응을 살펴보면 당신이 어떤 주제나 상황에 관행적으로 반응하고 있는지 알게 될 것이다. 그리고 어떤 상황과 주제에 대해 이전과는 다르게 반응해야 할지 파악할 수 있을 것이다.

Q 2   발표 때 직원들을 관찰하라. 언제 활기를 띠고, 주의를 기울이는지, 어떤 말에 즉각적인 신체 반응이 있는지, 언제 청중의 에너지가 낮아지는지 주목해보라. 이 관찰을 통해 회사의 관행에 대해 무엇을 알 수 있는가?

어댑티브 챌린지를 진단하라

Diagnose the Adaptive Challenge

어댑티브 챌린지를 해결하는 것은 사람들의 익숙한 방식을 바꿔야 하기 때문에 어렵다. 이미 사람들이 알고 있거나 반복적으로 일어나는 문제는 과거의 방식으로 사고하고 과거의 지식을 연계하고 운영해서 충분히 해결할 수 있다. 하지만 이와 달리, 변화 적응적 과업adaptive work은 해결하기가 어렵다. 어댑티브 챌린지를 해결하기 위해서는 매우 힘든 세 가지 단계의 일을 해내야만 하기 때문이다. 즉 (1) 과거 관행으로부터 무엇을 보존할지 가려내고, (2) 과거의 관행 중 무엇을 버려야 할지 파악하며, (3) 과거에 가장 훌륭하게 작용했던 요소를 기반으로 하여 새로운 방식을 개발해야 한다.

많은 사람이 과거에 효과가 있었던 방식을 사용해서 문제를 해결하려 한다. 그러다 보면 새롭게 발생한 문제가 얼마만큼의 복잡성을 가졌는지, 어느 정도로 가치적인 요소들을 고려해서 판단해야 하는지 제대로 인식하지 못한다. 여기서 복잡성이란 논리적이고 분석적인 복잡성을 말하는 것이 아니다. 즉 난해한 경제학이나 공학의 문제와 같은 불확실성이나 복잡성이 아니다. 문제의 복잡성은 사람의 문제이다. 문제 시나리오의 한 부분인 사람을 문제로부터 추상적으로 분리해내기 어렵기 때문에 인간적인 복잡성을 말하는 것이다. 어댑티브 챌린지가 가진 복잡성을 이해하기 위해서는 인간이 어댑티브 챌린지를 일으키는 원인 중 하나라는 것을 이해해야 한다. 그러므로 당신이 이런 문제를 분석하기 위해서는 '사람들에게 어떤 변화가 요구되고 있는지' 고려해야 한다. 예를 들어 사람에 대한 비용, 사람이 적응할 수 있는 속도, 갈등에 대한 내성 등을 고려해야 한다. 또한 어떤 불확실성과 위험이 존재하는지, 변화의 과정에서 어떤 손실이 일어날지, 조직의 회복 탄력성은 어떠한지, 변화에서 야기되는 긴장과 고통을 완화해줄 네트워크나 동료 관계가 존재하는지 등도 생각해야 한다.

어댑티브 챌린지에 내포된 인간적인 측면을 고려하여 진단하지 않거나 이 문제가 발생한 정치적이고 사회적인 상황을 배제한 채 분석적이고 전문적으로만 문제를 진단하려고 하는 경향은 진단이 실행으로 이어지지 못하는 주요한 원인으로 나타난다. 마치 의사가 환자에게 처방하는 운동 요법이나 식이 요법이 제대로 실행되지 못하는 것처럼, 대학이나 연구소, 혹은 정부 기관들에서 만들어낸 화려한 분석 보고서가 제대로 효과를 발휘하지 못하고, 마찬가지로 대형 컨설팅 업체가 정교하게 만들어낸 전략도 제대로 실행되지 못하는 경우가 허다하다.

어댑티브 챌린지를 제대로 진단하는 데는 다음과 같은 작업이 도움이 된다.

첫째, 당신이 처한 상황에서 변화 적응적 요소와 기술적 요소를 분별해내야 한다.

둘째, 사람들이 이 문제에 어떤 이야기를 나누는지 경청하면서 그 안에 있는 중요한 단서들을 찾아야 한다.

셋째, 어댑티브 챌린지의 전형적인 특징을 이해해야 한다.

변화 적응적 요소와 기술적 요소를 구별하라

리더십은 진단에서부터 시작한다. 진단의 첫 번째 단계는 문제의 기술적 요소와 변화 적응적 요소를 구분해 내는 것이다. 이런 진단 작업을 위해서는 일단 전문가의 분석을 제대로 이해하고, 그러한 분석을 존중하면서 받아들여야 한다. 하지만 이와 동시에 그들의 관점을 넘어 사람들과 연관된 문화적이고 정치적인 요소까지도 실제적으로 고려해야 한다.

어떤 사람들은 전문가들이 이미 제일 나은 방법을 알고 있다고 믿는다. 이런 사람들이 생각하는 리더십이란 결국 전문가들이 발견한 제일 나은 방법을 조직 내부에 전달하는 것에 지나지 않는다. 우리의 경험에 비추어보면 이와 같은 리더십 이론을 가진 사람들은 값비싼 비용을 지급하면서도 문제를 부분적으로밖에 해결하지 못한다.

어댑티브 챌린지는 기술적인 복잡성이 문제의 핵심이라기보다는 사람들의 가치, 믿음, 신념이 복잡하게 얽혀 있는 것을 문제의 핵심으로 여긴다. 그러므로 이런 어댑티브 챌린지를 맞닥뜨리면 사람들은 냉정하게 분석하기보다는 강렬한 감정을 드러낸다. 이런 이유로 조직은 종종 가치적인 해석을 회피하고 기술적인 해결로 이 문제를 넘어가려 한다.

예를 들어 우리와 같이 일했던 한 헬스케어 회사는 실제로 비용을 증가시키는 조직 내부의 과정이나 절차를 제대로 들여다보지 않고 단순히 새로운 기술을 도입해서 비용을 절감하려 했다. 하지만 이렇게 새로운 기술을 도입한 시도는 또 다른 어댑티브 챌린지(예를 들어 새롭게 도입된 기술을 사용하지 않고 기존의 면대면 진찰을 고수한 의료진)를 일으켰고, 그 결과 기대했던 비용 절감도 이루어지지 않았다. 당신이 속한 조직이나 공동체가 어댑티브 챌린지에 직면했다는 것을 알 수 있는 한 가지 방법은, 조직에서 기술적인 해결책을 여러 번 시도했음에도 불구하고 여전히 해결되지 않은 채 남아 있는 문제가 있는지를 확인하는 것이다.

사람들이 어댑티브 챌린지를 제대로 이해하고 규명하는 것을 진심으로 원한다 해도 실제로 해내기는 쉽지 않다. 이미 조직 내의 관행에 익숙하기 때문이기도 하고, 문제를 통합적으로 이해하기 위해서는 발코니로 올라가서 바라보아야 하는데 그러기가 쉽지 않기 때문이다. 조직 구성원들이 그들이 직면한 어댑티브 챌린지를 묘사하려고 시도할 때 아래와 같은 유형의 이야기가 나오기 쉽다.

어댑티브 챌린지에 대한 일반적 반응

- **누가 해야 할지 모르겠어**

  현재의 문제 상황과 이 문제가 발생한 배경을 길고 복잡하게 설명한다. 하지만 문제와 관련해서 그들이 해야 할 역할이나 감당해야 할 위험, 문제와 관련한 이해관계, 문제가 생기도록 한 사람에 대한 내용은 언급하지 않는다.

- **나 빼고 모두 멍청이들이라서 말이야**

  다음과 같이 문제 원인을 남에게 돌린다. '그때 이 일에 관련된 사람들이 좀 일을 제대로 했거나 이 일에서 빠졌다면, 내 말대로 했으면 이런 문제는 안 일어났을 텐데 말이야.'

- **이건 세계를 구해야 하는 문제야**

  이 문제는 너무 크고 중요하며 고차원적이기 때문에 이 문제를 다루다가 실패한다 해도 비난받아서는 안 된다는 식으로 이야기한다.

- **우린 다 이루었어**

우리 조직은 이미 엄청나게 크고 어려운 문제를 해결했다고 선언해버린다.

당신의 조직이 어댑티브 챌린지에 직면해 있다는 것을 어떻게 알 수 있을까? 이를 알 수 있는 두 가지 핵심 단서들이 있다. 그것은 바로 반복되는 실패와 권위자를 향한 만성적 의존이다.

반복되는 실패

리더십이 가장 흔하게 저지르는 실수는 기술적 해결책을 가지고 어댑티브 챌린지를 해결하려 하는 것이다. 많은 리더가 조직이 직면한 문제를 잘못 해석하거나 단순화하는 실수를 저지르는데, 그렇게 하면 조직을 둘러싼 환경의 변화를 보지 못하거나 조직 내부에 혼란이나 불편을 일으키지 않는 쉬운 해결책만을 선호하기 쉽다. 물론 가끔은 기술적 해결책이 어댑티브 챌린지의 일부를 해결하기도 하고 문제로부터 잠시 떨어질 기회가 되기도 하지만 이는 단지 일시적일 뿐이다.

기술적 해결책은 쉽게 적용할 수 있고 불확실성을 줄이기 때문에 사람들은 이에 끌리는 경향이 있다. 특히 그 기술적 해결책이 과거에 효과가 있었다면 더욱더 그렇다. 이런 경향성은 기술적 해결책이 실패했다는 증거가 명확하게 나타날 때도 지속되기도 한다. "다시 한번 시도해보자. 이번에는 좀 더 주의를 기울이고, 열심히 해보자."라고 하면서 말이다('계속 똑같은 것을 하면서 다른 결과를 기대하는 것은 어리석은 일'이라는 오래된 격언을 기억하라). 이러한 실패의 주기(문제 발견ー기술적 해결책 적용ー문제해결 실패)는 문제의 특성과 어떤 종류의 기술적 해결책을 적용했는지에 따라 짧을 수도 있고 길어질 수도 있다. 그러나 그 당시에는 이렇게 실패가 반복되고 있다는 것을 파악하기 어렵다. 오랜 시간이 흐른 후에는 좀 더 쉽게 알 수 있지만 말이다. 그러므로 발코니에 올라가서 일이 진행되는 초반이나 중반부터 미리 조짐을 살피는 노력을 해야 한다. 어려움 없이 적용할 수 있는 해결책을 이미 찾았다고 생각할 때, 사람들은 발코니에서 상황을 살펴보려는 노력을 등한시한다. '본부로 보낸 이메일' 사례를 보자.

본부로 보낸 이메일

워싱턴 DC 지역에서 주로 정부 기관을 상대로 영업하던 한 소매 회사가 있었다. 그 회사는 워싱턴 DC를 넘어서 뉴욕

까지 영업을 확장해나갔다. 뉴욕의 직원들은 회사의 모든 지침이 워싱턴 DC의 상황에 기반을 두고 만들어졌기 때문에 이 지침을 적용해 뉴욕에서 상품을 판매하는 것은 너무 어렵다고 판단했다. 그들은 회사의 관례대로 뉴욕 현지의 상황에 대한 대략적인 설명을 적고, 뉴욕 시장이 매우 다른 특징이 있다는 의견을 첨부한 친절한 이메일을 본사로 보냈다. 하지만 본부에서는 전혀 반응이 없었다. 회사 정책이나 방침에 전혀 변화가 없었고 뉴욕 지부에 어떤 개선도 이루어지지 않았다.

뉴욕의 현장 직원은 강경한 입장을 담아서 지난번보다 더 길고 자세한 이메일을 보냈다. 하지만 여전히 변화는 일어나지 않았다. 그 다음에는 정말 격하고 신랄한 이메일을 보냈다. 이번에는 본부의 반응이 있었다. 뉴욕 지부에서 중요한 역할을 맡고 있던 그 직원이 해고된 것이다!

점점 더 공격적인 태도가 담긴 이메일은 본사가 새로운 현실에 직시하고 대응하게 하는 데 도움이 되지 못했다. 회사 차원에서는 뉴욕 사업을 새로운 대응이 필요한 어댑티브 챌린지로 보기보다는 '문제를 일으키는 직원 한 사람'의 의견으로 치부하고 그 사람을 해고하는 것이 쉬운 선택이었다.

Q1 여러 번 해결하려 했으나, 실패한 문제를 생각해보라. 어떤 해결책을 사용했는가? 왜 그 문제를 아직도 해결하지 못했는지 당신은 어떻게 설명해왔는가? (60쪽 '어댑티브 챌린지에 대한 일반적 반응'을 참고하라)

Q2 조직이 직면한 중요한 문제가 무엇인지 생각해보라.

그 문제는 어떤 요소들로 이루어졌는지 파악해보라. 그 중 어떤 요소가 기술적 문제이고, 어떤 요소가 어댑티브 챌린지인가? 쉽게 분간해 내기 어렵게 각각의 요소가 혼재된 부분은 없는가?

당신이 분류해낸 기술적 문제와 어댑티브 챌린지를 살펴보고, 이를 각각 해결하는 것이 어느 정도로 어려운지 상대적으로 비교해보라.

현장에서 적용하기

Q 1 팀원들과 일대일로 미팅을 갖고 그동안 팀이 직면했던 가장 어려웠던 어댑티브 챌린지가 무엇이라고 생각하는지 물어보라.

그 문제가 아직 해결되지 못한 이유에 대해 각각의 설명을 들어보라. 개개인의 이야기를 녹화하고 팀이 함께 그 영상을 시청하라. 영상을 시청한 후 각자 무엇을 가장 인상적으로 보았는지를 이야기해보라.

또한 현재 우리가 어댑티브 챌린지에 대해 어떻게 설명하는지 살펴보고 그런 이야기와 설명이 가진 장점과 한계를 토론해보라.

권위자에 대한 의존

사람은 태어나는 순간부터 누군가에게 의존한다. 생명을 유지해주고 안전을 보장하는 존재, 편안함을 제공하고 해결책을 찾아 줄 권위자에 의지하는 것이다. 갓난아기가 직면한 첫 번째 해결 과제는 젖을 줄 사람을 찾아내고 계속해 젖을 먹을 방법을 알아내는 것이다. 이를 위해서 아기들은 할 수 있는 모든 것을 한다. 웃고, 울고, 미소 짓고, 칭얼댄다. 다른 포유류와 마찬가지로 이렇게 권위자에게 의존하는 행위는 인간 유전자에 깊이 새겨진 습성이다. 십 대 청소년들은 더 복잡하고 미묘한 방식으로 권위자들과 관계를 맺는다. 그들은 부모, 선생님, 코치, 혹은 다른 권위자들과의 관계를 복잡하고 미묘하게 발전시켜 간다. 문제가 발생하면 반항적인 십 대들이나 어른들도 권위자에게 방향성을 제시받고, 보호받고, 지도받고 싶어 한다.

조직에서 직면한 문제가 기술적 문제일 때는 문제 해결을 위해 권위자에게 의존하는 것은 타당하다. 하지만 조직이 실상 어댑티브 챌린지에 직면하고 있다면 어떤 일이 벌어질 것인가? 권위자들은 일반적으로 어댑티브 챌린지를 기술적 문제처럼 해결하려는 경향이 있다. 사람들이 권위자들에게 그렇게 행동하기를 기대하고, 그들 자신도 그렇게 해나가기를 원하기 때문이다. 그들은 그렇게 행동하는 것이 '문제 해결사'가 되는 것으로 생각한다.

하지만 권위자가 나서서 지시하거나, 전문가들을 불러모으는 것으로는 어댑티브 챌린지는 해결되지 않는다. 어댑티브 챌린지를 해결하기 위해서는 사람들에게 새로운 태도와 역량, 그리고 문제 해결을 위한 새로운 연결과 조합이 필요하기 때문이다. 결국 어댑티브 챌린지는 사람들과 관련된 문제이고, 그 문제를 해결할 방법도 사람들과 관련되어 있다. 그러므로 어댑티브 챌린지는 그 문제와 관련된 사람들이 해결해야 한다. 권위자들은 문제를 대신 해결하기보다는 사람들이 어댑티브 챌린지를 해결할 수 있도록 해야 한다.

앞서 우리는 어댑티브 챌린지의 특징을 살펴보았다. 어댑티브 챌린지는 여러 특징을 가지고 있는데, 각각의 특징은 이 문제에 대한 진단이 필요하다는 신호다. 아래의 '어댑티브 챌린지의 특징과 신호'는 어댑티브 챌린지의 특징이 사회적 맥락에서 어떻게 나타나는지 알려주며, 이를 통해 진단을 시작할 수 있다.

어댑티브 챌린지의 특징과 신호

- **사람들이 바라는 열망과 조직 내 현실 사이의 틈이 존재하며, 이 틈은 좁혀지지 않는다**

  신호 현재 상황을 설명할 때, 불평하는 단어를 급격하게 많이 사용한다.

- **현재의 역량 범위 안에서 할 수 있는 해결책으로는 충분하지 않다**

  신호 과거에는 성공적으로 문제를 해결했던 외부 및 내부 전문가들이 문제를 해결하지 못한다.

- **어려운 학습이 요구된다**

  신호 좌절과 스트레스가 확연히 드러난다. 예전보다 실패가 자주 발생한다. 전통적인 해결 방식들이 반복해서 사용되지만, 문제는 해결되지 않는다.

- **기존의 경계를 넘어선, 새로운 이해관계자의 참여가 필요하다**

  신호 문제를 논의하고 해결하기 위해 예전부터 참석했던 관련자들이 모이지만, 문제 해결에 진전이 없다.

- **장기적인 관점이 필요하다**

  신호 단기적인 처방 이후에 문제가 다시 발생하거나, 더 심각해진다.

- **위기감이 들기 시작하고, 불안정 상태를 경험한다**

  신호 갈등과 좌절이 증가하면서 조직 내 긴장과 혼란이 발생한다. 상황이 너무 시급하다는 인식이 생기면서, 뭔가 새로운 것을 시도해보려는 자발적인 움직임이 나타난다.

기본적인 진단 구조

어댑티브 챌린지의 진단은 그 자체가 도전적인 과정이다. 제대로 진단을 하기 위해서는 이 장에서 설명할 몇 가지 기술이 필요할 뿐만 아니라, 미지의 세계로 한 걸음 내디딜 수 있는 용기와 자발성이 필요하다. 아래에는 진단을 구조화하는 데 효과적으로 사용할 수 있는 중요한 질문을 소개한다.

어댑티브 챌린지를 진단할 수 있는 질문

현재 처한 문제

- 현재 문제에 직면하고 있는 그 조직 혹은 단체의 사명과 목적은 무엇인가?
- 지금의 문제는 조직 내부의 가치나 우선순위의 변화에서 시작되었는가? 또는 외부 변화에서 시작되었는가?
- 현재의 어댑티브 챌린지에는 어떤 기술적 요인과 변화 적응적 요인이 있는가?

문제와 연결된 사람

- 조직에서 나의 위치는 어디인가? 이 문제에 관한 나의 관점은 어떠한가? 이 문제와 관련된 사람들은 누구인가? 그들은 이 문제에 관련하여 어떤 관점을 가지고 있는가?

어댑티브 챌린지와 갈등

- 어디서부터 갈등이 시작되는가? 가치나 사명에 관한 문제인 가? 아니면 목표, 전략, 업무 실행의 문제인가?

- 조직의 가치와 사명을 전략, 목적, 목표, 실행안으로 일관성 있게 정렬하여 실천하는 데 내부 갈등이나 분열이 있는가?

- 변화 적응적 과업을 처리해가는 구조를 시범적으로 만들어 보려면 가장 추상적인 부분에서 시작하라. 목표와 가치 등은 조직 내부 사람들 대부분이 동의할 것이다. 그리고 난 후 '이 일을 하기 위해서 무엇이 필요할까'를 질문하면서 점점 구체 적인 단계로 넘어가라. 같은 질문을 반복하면서 생각을 더 구체화하라. 그렇게 구체적으로 들어가다 보면 어느 순간 갈 등이 나타나기 시작할 것이다. 갈등이 나타나기 바로 직전 단계, 즉 모든 사람이 동의한 단계에서 변화 적응적 과업을 구조화하여야 한다.

- 조직 내의 갈등을 조절하고 안정 상태를 유지하기 위해서 어 떤 유형의 과업 회피 체계가 작동하고 있는가?

- 나는 조직을 운영하고 상황을 관리하기 위한 어떤 자원과 권 위를 가지고 있는가? 문제 해결에 개입하기에 내 위치는 적 절한가? 나 자신을 행동하지 못하도록 만드는 사고방식이 있

지는 않은가?

실행 내용

• 어떤 전략을 시도했는가? 어떤 일이 벌어졌는가? 생각은 해
봤지만 시도하기는 꺼려지는 전략은 무엇인가? 그 전략이 꺼
려지는 이유는 무엇인가? 고려하고 싶지도 않은 전략 중 효
과가 있을 만한 것이 있는가? 할 수 있는 여러 실행을 상상해
보면서 자신이 꺼리는 특정한 형태의 실행 계획이 있는지 생
각해보라. 그러한 개입을 주저하게 하는 나만의 사고방식 혹
은 나 스스로가 만든 가정은 무엇인가?

Q 1 조직이 직면한 어댑티브 챌린지를 생각해보고, 그 문제
해결에 투입된 사람들을 확인해보라. 왜 그들이 선정되었
는가? 어느 정도의 권한이 그들에게 있는가? 지금까지 그
들은 이 문제를 해결하는 데 얼마나 효과적이었는가? 문
제와 관련은 있지만, 지금까지 해결 과정에는 참여하지
않았던 사람 중에 어떤 사람이 새로 투입될 수 있는지 생
각해보라.

현장에서 적용하기

Q 1 앞으로 한 주 동안 조직을 관찰하라. 조직 내의 문제를 해결하는 데 얼마나 권위자에게 의존하고 있는지를 판단할 수 있는 신호들을 찾아보라.

조직 내의 사람들이 스스로 판단하고 실험하기보다는 그들의 권위자들을 찾아가 무엇을 해야 할지 질문하고 있다면 그 일이 언제 어떻게 일어나는지 살펴보라.

일주일의 관찰을 마무리하고 나서는 어댑티브 챌린지 자체로 바로 뛰어들지 말고, 팀원들과 만나 서로 관찰한 것을 나누라. 당신이 발견한 신호들은 무엇인지 이야기해보고 팀원들의 관찰 결과를 모아 리스트를 만들라.

말속에 감춰진 노래를 들어라

조직이 직면한 어댑티브 챌린지를 인식하기 위해서는 사람들이 그 문제에 관해 이야기하고 있는 것 이상을 볼 수 있어야 한다. 우리는 이것을 '말속에 감춰진 노래song beneath the words 듣기'라고 표현한다. 이 노래 속에는 사람들이 실제 말로 표현하는 것보다 훨씬 많은 정보가 존재한다. 사람들의 몸짓, 시선, 감정, 에너지 등을 관찰하라. 예를 들어 사람들이 '말하고 있는 것'만큼이나 '말하고 있지 않은 것'에도 관심을 쏟아보라. 만약 사람들이 조직 내부의 정치적 관계에 관한 이야기는 많이 하면서 팀이 이뤄내야 할 결과물에 관해서는 이야기를 하지 않는다면 결과물에 문제가 생길 가능성이 크다. 한편 사람들이 실제로 행동하는 것과 조직의 정책 간에 괴리가 있는 것은 무엇인지 살펴보라. 예를 들어 공식적인 조직도와는 다르게 작동하는 비공식적인 관계들은 무엇이 있는지, 조직 안에서 독특한 성격을 가진 집단이나 분파가 존재하는지 파악하라. 이런 그룹들을 살펴보면 조직 내에서 누가 비공식적 권력을 가졌는지 알 수 있다. 마지막으로 문제를 해결할 방법을 제안할 때 누가 필요 이상으로 격한 반응을 보이는지 관찰하라. 이런 격한 반응은 조직 내에 무언가 다른 역동이 존재한다는 강력한 신호다. 즉 그 문제에 한 가지 해결책 이상의 무언가가 있다는 신호다.

Q 1 어댑티브 챌린지 혹은 조직의 다른 문제를 해결하기 위해
상사와 어떤 상호작용(공식적이거나 비공식적인)을 했는
지 생각해보라.

상사의 '말속에 감춰진 노래(비언어적 표현 속에 숨겨진
진실)'는 무엇인지 생각해보라.

당신의 상사는 다른 사람들에게 자신이 어떠한 사람이라
고 말하고 있는가? 또한 그는 다른 사람들에게 자신이 문
제를 해결하기 위해 무엇을 하고 있다고 말하는가?

상사의 노래, 즉 감춰진 메시지가 무엇인지에 가설을 세
우고 그 가설을 확인하기 위해 노력하라. 상사에게 어떤
행동을 취할 것인지, 상사와 관련해서 어떤 데이터를 모
으고 어떤 행동을 관찰할지 결정하라. 당신의 상사에게
다가와서 말을 거는 사람이 누구인지 관찰하라. 그 사람
들은 당신의 상사와 어떤 이해관계가 있으며, 어떤 충성
심을 상사에게 보이는가?

Q 1 다음 워크숍이나 회의에서 팀원들과 다음과 같은 활동을 시도해보라.

다른 사람들이 어떤 '말속에 감춰진 노래'나 어떤 비언어적 표현을 사용하고 있는지 관찰해 한두 문장으로 적어보라고 요청한다. 즉 각 사람이 다른 사람에게 어떤 메시지를 던지고 있는가?

예를 들어 우리 동료 중 한 사람은 비언어적인 표현을 통해 다음과 같은 질문을 주변에 던지곤 한다. "우리는 왜 이 일을 하고 있지? 도대체 우리의 사명은 뭐야?"

다른 사람들이 자신에 대해 관찰한 내용을 읽다 보면 사람들은 자신도 모르게 어떤 메시지를 상대방에게 전달하고 있다는 것을 알게 되고, 어떤 경우에는 너무 과장해서 메시지를 전달하고 있다는 것을 이해하게 된다.

어댑티브 챌린지의 4가지 유형

어댑티브 챌린지는 여러 가지 모양과 형태로 나타난다. 어댑티브 챌린지가 나타나는 것은 외부 환경이 복합적으로 변화(혁신적인 기술의 등장, 소비자 선호도의 변화, 역동적인 시장 상황 등)하기 때문이며, 조직은 이에 복합적인 대응을 해야 한다. 우리는 어댑티브 챌린지가 주로 네 가지의 기본적인 패턴으로 나타나는 것을 발견했다.

유형 1. 추구하는 가치와 실제 행동 사이의 간극
유형 2. 충돌하는 가치들
유형 3. 말할 수 없는 것을 말하기
유형 4. 과업 회피

이 패턴들은 대부분 혼합된 형태로 나타나는데, 이 패턴을 제대로 이해하면 조직이 직면한 어댑티브 챌린지가 무엇인지 더 쉽게 인식하고 해결할 수 있다. 이 패턴으로 복잡하고 우선시되는 기술적 문제와 어댑티브 챌린지를 구분할 수 있고, 적합한 자원과 전략을 사용할 수 있다.

유형 1. 추구하는 가치와 실제 행동 사이의 간극

당신의 말과 행동은 다를 수 있다. 즉 당신은 어떤 가치가 중요하다고 말하지만, 실제 행동은 그와 다를 수 있다. 예를 들어 보자. 친구인 해럴드는 세상 어느 곳에서도 굶는 사람은 없는 것이 소원이라고 말한다. 하지만 자신의 시간과 자원을 어떻게 사용했는지 돌아보고 나서, 사실 기아 문제 해결을 위해서 자신이 행동한 것이 거의 없다는 것을 깨달았다. 최고 경영자인 앨리스는 자신이 일과 가정의 균형을 위해서 노력한다고 말해왔다. 하지만 그녀는 일하며 보낸 시간과 가족과 보낸 시간을 비교해보고 난 후, 업무에 쏟은 시간이 압도적으로 많다는 것을 알게 되었다. 서비스 회사 경영진인 로베르토는 자신에게 가장 중요한 일은 직원의 전문성이 성장하도록 돕는 것이라고 말해왔다. 하지만 실제로 어떤 영역에 에너지를 쏟고 있는지 분석하고 난 뒤에는 직원들이 역량을 향상할 수 있도록 업무를 배정하거나 지도하는 데 그다지 에너지를 쏟지 않고 있음을 알았다. 이 사례들을 살펴보면 어떤 사람이 표면적으로 지지하는 가치와 그 사람의 실제 행동에는 차이가 있음을 알 수 있다.

알렉산더의 첫 아이가 태어났을 때 그의 동료 제프는 이렇게 조언했다. "아이가 자네의 말을 안 들을까 봐 걱정하지 말게나. 진짜 걱정해야 할 것은 아이가 자네의 모든 행동을 보고 있다는 거야." 몇몇 연구들에 따르면 인간의 두뇌는 청각적인 것(무엇을 하겠다고 말하는 것)보다 시각적인 것(실제 행동)에 더 반응한다고 한다.

개인의 삶에서 말과 행동에 간극이 나타나는 것처럼, 조직 생활도 마찬가지다. 왜 이런 간극이 존재하는 것일까? 이 틈을 줄이는 것은 매우 고통스럽고, 때론 불가능하거나 파괴적이기 때문이다. 조직의 '핵심 가치'(예를 들어 서로를 존중한다, 다름을 가치 있게 여긴다, 고객이 최우선이다, 세상을 더 좋은 곳으로 만든다)를 이어가는 것은 실제 그 가치 실현을 위해 하는 것이 거의 없을지라도, 구성원들이 자신이나 조직을 긍정적으로 느끼게 할 수 있다.

많은 조직(특히 서비스 전문 회사)에서 겉으로 표방하는 가치와 실제 행동에는 차이가 있다. 예를 들어 경영진은 조직 내 협력과 협업을 장려한다고 말하지만, 실제로는 개인 성과 위주의 보상을 하는 경우가 흔하다. 또한 부서 간 이기주의를 버려야 한다고 말하는 것만으로는 아무것도 이뤄지지 않는다. 이런 차이를 줄이는 것은 매우 어려운 어댑티브 챌린지다. 구성원들은 지금까지 기존 방식으로 보상받았고, 개인들은 자신에게 보상을 가져온 행동을 계속하기 원하기 때문이다. 특히 기존 방식을 따르는 행동이 조직에서 여전히 인정받고 보상받고 있다면 더욱더 그렇다.

겉으로 표방하는 가치와 실제 행동 사이의 차이가 점점 더 분명해져 더는 간과할 수 없는 상황에 이르면, 개인이든 조직이든 자신이 추구하는 진정한 우선순위가 무엇인지 마주하게 된다. 조직이 표방하는 가치와 그 조직이 선호하는 행동이 충돌할 때, 그 조직이 정말로 그 가치를 중요하게 여기는지 알 수 있다. 다음 사례를 살펴보자.

나에게는 꿈이 있습니다

마틴 루터 킹Martin Luther King목사가 주도한 시민운동으로 미국인들은 냉혹한 현실을 직시하게 됐다. 미국이 표방하고 있는 가치와 미국 내의 현실 사이의 현격한 차이가 존재한다는 현실 말이다. 1963년 8월 그는 링컨 기념관 앞 계단에 서서 자신의 꿈을, 아니 미국인들의 꿈을 대변하는 연설을 했다.

"나에게는 꿈이 있습니다. 이 꿈은 아메리칸 드림이라는 정신에 깊이 뿌리내린 꿈입니다." 사실 그 꿈은 미국을 세운 건국자들이 명확하게 선언한 가치였고, 에이브러햄 링컨 Abraham Lincoln이 게티즈버그 연설에서 강력하게 표현한 것이었다.

미국은 인간은 모두가 평등하게 태어났다는 명제를 중요시하는 나라였다. 킹 목사는 강력한 언어로 미국이 그러한 가치를 향해 나아가는 국가임을 상기시켰다. 그의 노력 덕분에 미국인들은 국가가 표방하고 있는 '기회의 평등'이라는 가치와 '일상에서 벌어지는 인종차별'이라는 현실 간의 틈이 존재한다는 것을 인정하게 되었다. 매일 밤 텔레비전에서 나오는 인종차별의 혼란스러운 현장들은 전 국민이 이런 격차를 더 절실히 느끼게 했다. 미국인들은 그들이 가장 소중하게 여기는 가치에 따라 국가가 움직이지 않는다는 사실을 더는 간과할 수 없었다.

Q 1 조직에서 표방하는 가치와 조직의 실제 행동 사이에 차이가 있는지 살펴보라. 조직의 구성원(상사, 당신 자신, 동료 또는 부하직원) 중 누군가가 조직이 표방하는 가치와 다른 행동을 하고 있다면, 이 차이는 왜 발생하는지, 그런 차이가 발생하는 이유가 그들의 필요나 욕구를 채워주고 있기 때문은 아닌지 살펴보라. 표방된 가치를 실현하기 위해 그들의 행동을 바꾸어야 한다면, 이런 사람들은 어떤 손해를 겪게 되는가?

Q 2 당신의 상사 입장이 되어보라. 상사의 머릿속으로 들어간다고 상상해보자. 상사의 입장에서 하루를 마쳤을 때 그날을 어떻게 기억하고 설명할지 구체적으로 생각해보라. 하루 동안 무슨 일이 벌어졌고, 가장 중요한 일은 무엇이었는지, 왜 그 일이 그런 방식으로 진행되는지 상사의 입장에서 묘사해보라. 그리고 나서 당신이 팀에서 겪은 '역기능'적인 방식들을 다시 떠올려보라. 당신이나 상사는 그런 역기능적인 방식들을 왜 허용하고 있다고 생각하는가? 그 방식이 유지될 때 상사는 어떤 점이 편해지게 되는

가? 상사의 어떤 필요, 관심사, 충성심, 가치 등이 현재 상황을 뒷받침하고 있는가?

현장에서 적용하기

Q 1 앞으로 2주 동안 팀의 활동을 30분 단위로 기록하라. 구간마다 당신이 어떤 유형의 문제를 해결하려고 했는지 점검하라(어댑티브 챌린지 또는 기술적 문제). 그리고 팀이 이런 활동을 하도록 동기를 부여하는 가치가 무엇인지 알아보라. 각각의 과제에 대해 당신이 시간을 어떻게 사용했는지 검토해보라.

Q 2 조직에서 오랫동안 논의되고 있는 변화가 무엇인지 생각해보라. 일대일 미팅을 통해 왜 그런 변화를 조직이 더 많이 이루지 못했는지 이야기해보라.

유형 2. 충돌하는 가치들

개인처럼 조직 안에도 여러 방향성과 가치가 있다. 그리고 이런 가치들은 서로 갈등을 일으키기도 한다. 예를 들어 여러 나라에 진출한 다국적 생활용품 회사는 하나의 통합된 브랜드를 만들어내기 원하지만 동시에 각 나라의 특징을 반영한 독특한 브랜드 이미지도 유지하고 싶어 한다. 한 법률 회사는 영업을 확장하기 원하지만 동시에 중견 변호사들이 가족과 시간을 더 보낼 수 있도록 근무시간을 단축하고 싶어 한다. 한 인권 단체는 더 큰 규모의 모금을 위해 추가로 인력을 채용하기를 원하지만 동시에 단체 운영비를 줄이고 싶어 한다.

조직의 리더는 가치가 충돌하는 문제를 해결하기 위해 고통스러운 선택을 해야 한다. 조직의 어떤 구성원에게는 도움이 되지만, 어떤 구성원들에게는 손실이 될 수 있는 선택 말이다. 이것은 어댑티브 챌린지가 가진 또 하나의 특징이다. 이런 선택은 어렵기 때문에 많은 리더는 그 상황을 회피하기도 하고 때론 어느 쪽도 만족시키지 못하는 결정을 내리기도 한다. 결과적으로 조직의 가치들은 계속 충돌하는 상황에 놓이게 된다.

그러나 엄연한 현실은, 결정권자들은 조직 내에서 가치들이 상충할 때 어떤 이들에는 이익이 되지만 다른 이들에게는 손실이 일어날 수밖에 없는 결정을 내려야 한다는 것이다. 그래야만 문제 상황을 해결할 수 있다. 회피를 제외하면 이를 피할 방법은 거의 없다. 서로에게 이득이 되는win-win 해결책이 이상적이지만 이 같은 경우는 흔치 않다. '서로에게 이득이 되는 방식'이 가능하다는 이야기를 들을 때 사람들은 오랫동안 충돌해온 상황이 정말 변화할 수 있을지 의문을 품는다. 조직 내에서 가치들이 충돌하는 문제를 해결하려 할 때 중요한 것은 '어떤 결정 방식을 사용할 것인가'이다. 조직의 리더가 일방적으로 결정할 것인지, 다수결로 결정할 것인지, 관련된 모든 사람의 동의를 구할 것인지를 선택해야 한다. 이 결정으로 조직 내의 어떤 사람들이 손실을 보게 될 것인지, 그들은 정확히 어떤 것을 잃게 될 것인지를 질문해봐야 한다.

발코니에서 바라보기

Q 1   조직에서 충돌하고 있는 가치들을 생각해보라. 이처럼 가치가 충돌하고 있는 상황에 대해 구성원들은 어떻게 대응하고 있는가? 이와 같은 대응 방식은 어떤 결과를 낳고 있는가? 부정적인 면과 긍정적인 면을 모두 생각해보라.

현장에서 적용하기

Q 1   다음번 회의에서 팀의 가치들이 충돌하고 있다는 것을 발견한다면 그 상황을 인정하고 말로 표현해보라. 충돌하고 있는 가치들을 정의해보고 팀원들의 생각을 들어보라. 되도록 대화의 초점을 가치 자체에 맞추어보라(누가 이런 가치를 실현해야 하는지, 왜 그런 가치들이 지켜지지 못하는지에 대해서는 이야기하지 않는 것이 더 좋다).

유형 3. 말할 수 없는 것을 말하기

조직의 구성원들이 함께 모여서 이야기를 할 때 주로 두 종류의 대화가 이루어진다. 하나는 사람들이 공식적으로 말하는 이야기이고, 또 다른 하나는 각자 머릿속에서만 생각하는 이야기다.

그러나 이런 대화에서 정작 중요한 내용은 극히 일부만 다뤄진다. 예를 들어 급진적 아이디어를 이야기하거나, 어려운 문제를 밖으로 드러내거나, 충돌하는 가치와 관점에 대해 고통스럽더라도 과감히 드러내는 일은 잘 일어나지 않는다. 사람들은 대부분 적당한 선을 지키면서 농담을 하거나 갈등을 제대로 언급하지 못한 채 논점 없이 토론하는 데 그친다.

물론 '말할 수 없는 것'을 말하지 못하는 데에는 여러 이유가 있다. 그 중 한 가지는 조직이 그것을 공개적으로 말하지 않기를 원하기 때문이다. 예민한 문제들을 언급하면 조직의 긴장감이 높아지고 갈등이 유발된다. 말할 수 없는 문제를 용감하게 이야기하는 사람은 조직에서의 입지가 매우 불리해지고 비호감으로 전락하거나 심지어 조직에서 쫓겨날 수도 있다.

이런 위험성은 조직의 리더나 관리자가 같은 공간에 있을 때 더 높아질 수 있기 때문에 사람들은 리더나 관리자와 함께 있을 때 말할 수 없는 문제를 입 밖으로 내지 않을 것이다. 하지만 조직 내 우선순위를 재정립해야 하거나 급변하는 외부 환경을 헤쳐 나가고자 하는 조직이라면 말할 수 없다고 생각하는 것을 함께 이야기하는 것이 무엇보다 중요하다. 전체를 아우르는 시각에서 진단할 때라야만 어댑티브 챌린지를 해결할 수 있는 가능성이 커지기 때문이다.

Q 1 힘들지만 '말할 수 없는 것'을 나누는 대화를 했던 그때를 떠올려보라. 어떻게 이야기를 나누게 되었는가? 예를 들어, 중요하지만 다루고 싶어 하지 않는 주제를 누가 이야기해보자고 제안했는가? 회의에 참석한 모든 사람이 느낄 정도로 불편한 이야기가 불거진 사건이 있는가? 누가 그 이야기를 지긋지긋하게 생각했는가? 대화가 끝난 후 어떤 일이 일어났는가?

Q 2 말할 수 없는 것들이 논의되지 않은 채 끝난 대화를 생각해보라. 그 대화의 결과는 무엇이었는가? 이 두 가지 대화 중 조직에 더 도움이 되는 결과를 가져온 것은 무엇인지 비교해보라.

현장에서 적용하기

Q 1 당신의 상사와 대화할 때 의도적으로 평소보다 더 많은 것을 이야기해보라. 예를 들어 평소에 상사의 생각에 우려되는 점을 말하지 않았다면 이번에는 말해보라. 판단하는 언어를 사용하지 말고 중립적인 언어를 사용하라.

예를 들어 "시간과 비용이 너무 많이 들어 변경은 어려울 것 같습니다."보다는 "말씀하신 대로 디자인을 변경하게 되면 프로젝트 일정을 맞추기 어렵고 예산을 초과할 것 같아 염려됩니다. 어떻게 하면 좋을까요?"라고 말이다.

Q 2 다음 회의에서 다음과 같이 두 칸이 있는 표를 그려보라. 오른쪽에는 다른 사람의 의견에 대해 당신이 말했던 것이나 질문했던 것을 적어보라. 왼쪽에는 당신이 그런 말과 질문을 할 때 진짜로 생각했던 것들을 적어보라. 두 칼럼을 살펴보고 조직 내에서 말할 수 없다고 생각했던 것이 무엇인지 생각해보라.

이동통신 회사에서 일한다고 가정해보자. 이미 기존의 이동통신 시장은 포화 상태에 이르렀다. 회사는 새로운 수입원을 창출하는 방법을 모색하고 있다. 당신은 국내 사업을 책임지고 있는 매니저다. 그리고 오늘 전략개발 파트의 부사장과 다른 지역 매니저들과 회의를 하고 있다. 〈표2-2〉는 왼쪽-오른쪽 칼럼에 들어가는 내용이 어떤지에 대한 예시다.

내가 생각했던 것	내가 실제로 말한 것
'이런, 절대 안 돼. 만약 우리 회사가 중국, 아프리카, 인도 같은 나라에 진출하면 우리 같은 국내팀은 어떻게 되는 거지? 우리 팀 예산은 훨씬 줄어들 거야.' **말할 수 없는 것들 :** 우리 회사가 성장 전략을 급격하게 변경한다면 내가 속한 팀의 위치와 권한이 줄어들 수 있다.	**부사장 :** "우리는 새로운 수입원을 어떻게 만들어낼 수 있을지 생각해내야만 합니다. 최근 성장세를 보이는 신흥 국가들에 진출하는 것을 적극적으로 고려해보았으면 합니다. **나 :** "신흥 국가들은 잠재력이 높은 시장입니다."

〈표2-2〉 내가 생각한 것과 내가 말한 것

유형 4. 과업 회피

변화가 예상됨에 따른 조직 내 긴장도가 견디기 어려운 수준까지 올라가면, 사람들은 그 불편함을 해결할 수 있는 정교한 방법들을 고안해낸다. 예를 들어 관리자들은 변화에 대처할 만한 실제 권한이나 영향력은 없는 태스크포스팀을 구성해서 책임을 넘기곤 한다.

예시로 어떤 경영자들은 관리자들이 본인의 팀 내에서 급증하는 다양성에 관한 책임을 지지 않아도 괜찮도록 다양성만을 전담하는 책임자를 고용하기도 한다. 또한 회사의 매출이 줄어들거나 시장 점유율이 낮아지면 사람들은 이를 외부 환경 탓으로 돌리기도 한다(예를 들면 변덕스러운 소비자나 상도덕이 없는 새로운 경쟁사 등). 그리고 그 문제를 토론해보자고 누군가가 주장하면 화제를 바꾸거나 농담을 하기도 하고 그들이 직면한 어댑티브 챌린지를 단순한 기술적 문제로 치부해버리기도 한다.

예를 들어 경쟁사에서 더 나은 제품을 출시하여 매출이 하락하는 현상이 나타났을 때, 단순히 자사 제품이 눈에 더 잘 보이도록 매장 진열 위치를 바꾸는 것으로 이 문제를 해결하려 한다. 이런 행동은 어댑티브 챌린지를 대응할 때 따르는 좀 더 어려운 일을 회피하는 방식이다.

어댑티브 챌린지가 가져올 잠재적 고통에 대해 사람들이 저항하는 방식에는 흔히 두 가지 유형이 있다. 하나는 주의를 분산시키는 것이고, 다른 하나는 책임을 회피하는 것이다. 이런 방어적 태세는 변화에 저항하기 위한 고의가 담긴 전략적인 행동이기도 하고, 어떨 때는 어떤 의도나 계획없이 단지 본인이 어떻게 행동하는지 알아채지 못해서 나오는 행동일 수도 있다.

변화에 적응해야 한다는 사실에서 발생하는 개인적, 집단적 불안으로 인해 사람들은 그들이 직면한 어댑티브 챌린지가 무엇인지 제대로 이해하는 노력을 쉽게 포기해버린다. 즉 현실적으로 상황을 바라보는 과정이 생략되는 것이다. 대부분 처음에는 문제를 현실적으로 바라보거나 이해하려고 노력한다. 하지만 노력에 대한 성과가 빨리 나타나지 않으면 사람들은 다양한 관점을 수용하면서 계속되는 불확실성을 견디고, 비용이 드는 시도를 지속하고, 새로운 우선순위를 구축하고, 새로운 역량을 개발하기보다는 변화에 대해 방어적인 태도를 보이기가 쉽다.

어려운 상황이 지속되면 사람들은 그저 이 상황이 지나가기만을 바라며 시간을 흘려보내기도 한다. 그러다 때로는 잘못된 진단을 내린다. 문제가 일어난 데는 반드시 원인을 제공한 집단이 있다는 강한 믿음 때문에 특정 집단을 희생양으로 지목하는 잘못된 판단을 내리기도 하는 것이다. 더 심각한 유형의 회피는 불안정 상태가 오랫동안 지속할 때 발생한다. 서른다섯 가지의 독재 dictatorship 유형을 연구한 자료에 따르면 독재는 사회가 위기 상황에 직면했을 때 등장했다. 1930년대 일어났던 대공황은 빠르고 간단한 해결책이 나타나길 바라는 기대감을 전 세계에 불러일으켰다. 이런 열망으로 인해 많은 국가에서는 비판적이고 열린 마음으로 경제를 회복시킬 여러 전략을 제대로 검토하지 못했다.

결국 편협한 정체성을 가지고 문제를 바라보는 집단들이 영향력을 발휘하기 시작했다. 신격화 선동 정치와 억압, 희생양 양산과 외부를 적으로 돌리는 모든 상황이 결국 제 2차 세계대전의 참상으로까지 이어졌다. 아래는 과업 회피의 전략을 정리한 목록이다.

과업 회피가 일어나는 방식

주의 분산

- 어댑티브 챌린지가 가지고 있는 기술적 요소에만 초점을 맞추고 기술적 해결만 실행한다.
- 현재 가지고 있는 전문성에 맞춰서 문제를 정의한다.
- 농담하거나 휴식 시간을 가지면서 회의의 압력을 낮춘다.
- 문제가 존재한다는 사실을 부정한다.

- 본래 문제를 피해 갈 수 있는 다른 문제를 만들어낸다(예를 들어 실제 문제를 해결하지 않고 성격 차이의 문제라고 치부한다).
- 조직의 전통적인 행동을 존중한다는 이유로 다른 가능한 선택지를 고려하지 않는다.

책임 회피

- 문제를 제기하는 사람을 따돌린다. 즉 문제에 책임이 있는 사람이 아닌 문제를 제기한 사람을 공격한다.
- 희생양을 만든다.
- 외부의 적을 만들어 그들의 탓으로 돌린다.
- 리더를 공격한다.
- 실제로는 아무 권한이 없는 컨설턴트, 위원회, 태스크포스팀을 구성하여 변화 적응적 과업을 모두 위임해버린다.

발코니에서 바라보기

Q 1   현재 가장 많이 일어나는 과업 회피 유형은 무엇인가?

Q 2   근원적인 어댑티브 챌린지를 제대로 파악하기보다는 기술적인 해결책을 서둘러 실행하는 관행이 조직 내에 있지는 않은가? 그러한 관행은 어떤 방식으로 나타나고 있는가?

현장에서 적용하기

Q 1 팀원들과 함께 과업 회피 전략이 팀에서 어떻게 나타나고 있는지 토론하라. 현재 팀이 직면한 복잡한 문제를 찾아보고, 그 문제로 인해 발생하는 스트레스를 피하고자 팀에서 어떤 회피 전략을 사용하고 있는지 파악해보라. 미팅에서 팀원 중 누군가가 회피 유형을 보일 때 이를 찾아서 지적해보고 이에 관해 이야기하라.

예를 들면 이렇게 이야기할 수 있다. "존이 고객 만족도가 하락하고 있다는 그래프를 보여주었을 때, 새러는 '고객들의 취향은 시시각각으로 변하는데, 우리가 그걸 어떻게 따라갈 수 있겠어요?'라고 이야기했습니다. 하지만 제 생각에 새러가 한 말은 우리의 문제에 대해 외부 원인에 책임을 돌리는 것 같습니다."

Q 2 때로는 과업 회피의 매커니즘이 어떻게 작동되는지 파악하는 것이 어떤 문제를 회피하고 있는지 알아내는 것보다 쉬울 수 있다. 과업 회피가 어떤 시점에 어떤 유형으로 일어나는지 살펴보면 조직 안에서 보이지 않게 충돌하고 있

는 관점들이 무엇인지 알 수 있다. 팀에서 과업 회피가 일어났을 당시 어떤 문제가 대두되었는가? 또는 어떤 주제를 논의했는가? 그때 과업 회피가 나타나는 메커니즘은 어떠했는가? 당신의 팀이 다시 문제로 주의를 집중할 수 있도록 개입하는 사람이 있었는가? 아니면 충돌하는 관점들에 대해 피상적으로 다루고 넘어갔는가?

Q3 조직이 스트레스나 불편한 시기를 겪고 있을 때 이에 대한 반응은 주로 어디에서 나타나는가? 팀 안에서 이런 스트레스의 반응을 대표적으로 나타내는 사람은 누구인가? 그 사람을 찾아내서 인터뷰해보라. 그가 팀을 대표해 어떤 문제를 다루고 있는지 확인하고 스트레스의 근원이 무엇인지 찾아보라. 조직 안에서 충돌하는 가치들 때문인지, 조직 내의 다양한 의견들이 억압되기 때문인지, 손실을 피하고자 조직에서 취하는 방어적 행동 때문인지 의견을 들어보라.

2.3

조직의 정치적 관계를 진단하라

Diagnose the Political Landscape

조직에서 정치적 관계political relationship를 이해하는 것은 조직이 시스템으로서 어떻게 작동하는지를 보는 가장 중요한 핵심이다. 그리고 정치적 사고thinking politically라고 부르는 활동은 적응적 변화를 이끄는 데 좀 더 효과적인 전략을 만들도록 돕는다. 정치적 사고는 조직 구성원들이 그들의 다양한 이해관계에 기반한 기대치를 만족시키는 것을 추구한다는 점을 주요 전제로 한다. 조직 안에 어떤 기대expectation가 존재하는지 이해한다면, 조직의 구성원들을 좀 더 효과적으로 행동하게 만들 수 있다.

조직에 있는 사람들이 받는 압력은 정치인이 받는 압력과 유사하다. 세계 어느 곳이든 각 나라의 국회의원들은 지역구성원의 상충하는 이해관계와 관심사를 매우 존중한다. 그들은 자원의 배분 방법을 두고 다른 국회의원들이나 주민들과 협상할 때 누군가 무엇을 얻으면 누군가는 잃게된다는 것도 잘 알고 있다. 예를 들어 동료 의원에게 이렇게 말하는 국회의원이 있을 수 있다. "저는 새로운 산업을 규제해야 한다는 당신의 법안을 지지합니다. 그리고 사실 그 법안이 우리 지역구에도 여러모로 도움이 되리라 판단하고 있습니다. 하지만 저에게는 매우 실질적인 문제가 있습니다. 우리 지역에 사는 천여 명의 주민들의 생계가 바로 그 산업 분야에 속한 회사에 달려 있기 때문입니다. 당신의 법안으로 해당 산업의 경쟁력이 약해질 것이고, 더 나아가 그 회사가 문을 닫을 수도 있습니다. 이 상황에서 저는 무엇을 해야 할까요?" 이 말을 들었을 때, 동료 의원들은 이 의원을 어떻게 바라볼까? 그를 이기적이라고 판단하기보다는 존경할 만한 사람으로 여길 것이다. 나아가 그 의원이 앞으로 직면할 어려운 도전 과제를 지역 주민들과 함께 대비할 수 있도록 도와주려 할 것이다. 지역 주민들이 변화의 속도에 적응할 수 있도록 법안을 개정할 수도 있고, 적응 과정에서 해야 하는 과제들을 해결할 시간을 줄 수도 있다. 또한 해당 회사가 경쟁력을 더 갖추도록 돕거나 다른 일자리를 창출하는 것을 도울 수도 있다.

의회는 모두가 보는 앞에서 각자의 이해 관계를 반복해 드러내는 유일한 직장이다. 국회의원이 의회에서 자신의 지역구의 이해관계를 대변하는 모든 활동은 지극히 당연한 것이지만 대부분 조직에서는 이렇게 일하는 것을 금기시한다. 업무 관계에서 이렇게 말하는 사람을 본 적이 있는가? "잠깐만요, 이 새로운 업무 방식을 저희 팀에 도입하는 것은 어려울 것 같습니다. 영업부 직원들은 일을 처리하는 자신만의 방식이 있어서, 당신이 제시하는 업무 방식을 따르라고 하면 반드시 문제가 생길 겁니다. 영업부 사람들은 저를 쫓아낼 거예요." 아마도 거의 없을 것이다.

여전히 가족에서부터 거대한 다국적 기업에 이르기까지 모든 인간관계에는 일상의 정치small politics가 존재한다. 자원을 관리하고 목표를 규정하는 것은 소수이기 때문에 사람들은 누가 무엇을 얻을 것인지, 목적을 달성하기 위해 무엇을 해야 할지 결정하기 위한 협상을 해야 한다. 따라서 조직 내 정치적 이해 관계를 다루는 것은 상당히 불편할 수 있지만 적응적 변화를 이끌어 내는 데에 필요한 요소다.

정치적 사고를 하기 위해서는 조직을 이해관계자들이 얽혀 있는 하나의 그물로 보아야 한다. 그리고 각각의 이해관계자들을 떠올리며 다음 내용을 정의해야 한다.

- **직면하고 있는 어댑티브 챌린지와 관련된 이해관계**

  이 문제가 해결되면 그는 어떤 영향을 받게 될 것인가?

- **기대되는 결과**

  문제 해결을 통해 그가 보기 원하는 결과는 무엇인가?

- **참여의 정도**

  그는 이 문제와 조직에 대해 얼마나 관심이 있는가?

- **권력과 영향력 정도**

  그는 어떤 자원들을 관리하고 있는가? 그 자원을 원하는 사람들은 누구인가?

관계자들에 대해서 다음 사항을 확인하는 것 역시 중요하다.

- **가치**

  그의 행동과 의사결정의 중심에 있는 헌신과 신념은 무엇인가?

- **충성심**

  그는 자신의 조직과 밀접하게 연결된 그룹(회사의 장기 고객이나 납품 업체)에 어떤 의무감을 가지고 있는가?

- **잠정적 손실**

  그는 상황이 변했을 때 무엇을 잃는 것을 가장 두려워하는가? (지위, 자원, 긍정적 이미지)

- **숨겨진 협력 관계**

  그는 조직의 핵심 이해관계자들과 어떤 관심사와 이해관계를 공유하는가? 예를 들어, 영향력을 행사할 만한 동맹 관계를 형성할 수 있는 다른 이해관계자들(다른 부서의 동료들)과 어떠한 관계를 맺고 있는가?

이 질문들에 당신은 어떻게 답하겠는가? 질문에 대한 답을 얻을 수 있는 가장 좋은 방법은 이해관계자에게 직접 듣는 것이다. 하지만 만약 당신이 고위 관리자라면, 사람들은 당신에게 모든 것을 털어놓지 않을 수도 있다. 그렇다면 당신은 들은 내용을 판단하고 해석해야 할지도 모른다. 예를 들어, 일자리를 잃는 것이 두렵지 않다고 말하면서도 매일 저녁 늦게까지 일하는 부하직원이 있다면, 실제로 그 직원은 큰 두려움을 느끼고 있을 수 있다.

　한편 이해관계자들이 당신과 대화하는 과정을 안전하게 느낄 수 있도록 해야 한다. 예를 들어 정수기 앞에서 이야기를 나누거나, 점심을 같이 먹거나, 운동 경기를 같이 보면서 그들을 이해해야 한다. 마지막으로 이해관계자에게 들었던 이야기들을 더 심층적으로 이해하기 위해 제삼자의 정보를 이용할 수도 있다. 예를 들어 당신과 이해관계자 모두를 알고 있는 동료들의 이야기를 들어보는 것이다. 제삼자가 자신의 방식과 관심사에 따라 걸러 이해하고 받아들인 정보라도 당신에겐 도움이 될 수 있다. 위에 언급된 마지막 네 가지 질문을 주의 깊게 들여다보라. 이 장 마지막의 〈표2-3〉을 활용하면 이해관계자들에 대해 당신이 알고 있는 것을 쉽게 도표로 정리할 수 있을 것이다.

행동에 영향을 미치는 가치들을 파악하라

조직에서 어댑티브 리더십을 발휘하려 할 때 이를 방해하는 사람들을 만나게 된다. 그리고 그들을 너그럽게 바라보는 일은 당연히 어렵다. 아마도 당신은 이렇게 생각할 것이다. '내 계획을 방해하는 마케팅 부사장은 연말 보너스에만 관심이 있는 사람이야.' 만약 그렇다면 이런 이해관계자들을 너무나도 평면적인 인물로만 바라보고 평가하는 것일지도 모른다. 그들이 합리적인 열망과 욕구에 따라 행동하는 인물일 수 있다는 점을 간과하는 것이다. 사실 개개인은 당신이 상상하는 것 이상으로 더 복잡하고 많은 관심사와 우선순위를 가지고 있는 존재일 수 있다.

당신은 그 사람이 가진 복잡성을 이해해야만 한다. 그에게 좀 더 공감하라는 의미가 아니라 좀 더 전략적으로 이해해야 한다는 것이다. 각각의 이해관계자들이 가장 중요하게 생각하는 가치를 파악하면, 당신의 시도를 방해하는 사람 중에서 당신을 지지할 수 있는 사람을 찾아낼 수도 있다. 그들이 가진 가치와 목적을 추구할 수 있는 방식을 제안하면서 말이다.

사람들은 자신이 여러 가치를 동시에 추구하고 있다고 믿는다. 하지만 상황이 어려워지면 사람들은 자신이 가지고 있는 많은 가치 중 몇 가지에만 집중하기 마련이다. 그것이 바로 그들의 핵심 가치다. 당신의 가치 리스트 중에서 순위가 일곱 번째인 가치는 핵심 가치라 부르기 어렵다. 당신이 지키고 싶은 중요한 가치는 여러 가지이지만, 실제로 사용할 수 있는 시간과 에너지는 제한되어 있다. 다양성을 중요한 가치라고 여기지만 막상 조직에서 다양성을 고려한 행동은 전혀 하지 못하는 관리자를 상상해보라. 그에게는 다양성도 중요하지만, 회사의 이익이나 자신의 승진이 좀 더 중요할 수 있다.

당신의 변화 적응적 시도에 이해관계자들이 동참하게 하기 위해서는 그들이 가장 중요하게 여기는 가치를 파악해야 한다. 그리고 당신이 제안한 변화를 받아들이는 것이 그 가치를 실현하는데 어떻게 도움이 되는지 설득할 수 있어야 한다.

최근 우리는 공립 학교의 교장들과 수업 시간을 30분 연장하는 안건에 대해 논의했다. 논의가 시작되자마자 교장들은 교사들과 행정 직원들이 이기적이어서 이 안건에 반대할 것이라고 주장했다. 그들은 교사들과 행정 직원들이 좀 더 열심히 일할 생각이 없어서 수업 시간을 늘리는 것을 반대할 것이라 생각했다. 교장들은 교사들과 행정 직원들이 수업 시간을 늘리는 것에 대해 반대하는 다른 이유가 있다고 생각하지 못했다. 교사들이 소진되는 것을 방지하고, 수업을 준비할 시간을 확보하고, 학생들에게 수업 외 활동 시간을 마련해주고, 가족들과 소중한 시간을 보내고, 학교 시설을 청소하고, 학생들의 안전을 유지할 시간이 필요해서라고는 생각하지 못했다.

충성심을 인정하라

혼자있는 이해관계자란 없다. 그들은 조직 외부의 사람들이나 그들이 중요하게 생각하는 가치와 연관된 사람들에게 보이는 외부의 충성심이 있다.사람들은 자신이 속한 조직 외부에도 자신의 충성심을 보내는 대상이 존재하는데, 그들이 중요시하는 가치와 관련된 외부 사람들이 바로 그러한 대상이다. 교원 노동조합의 대표단이 어떤 협상을 할 때, 그들은 자신들만의 이익과 가치를 대표하는 것이 아니다. 투표를 통해 그들을 회의에 보낸 조합원, 조합원들의 가족, 대표단에 기대를 걸고 있는 다른 노동조합 동료를 대표해 모두의 이익을 위해 투쟁하는 것이다.

대표단을 둘러싼 이해관계자들은 그들이 자신들의 일자리를 지키고 지속적인 안정성을 확보해, 자신들이 주택 대출금을 상환하고 자녀들과 더 많은 시간을 더 보낼 수 있기를 바란다. 노동조합 대표단도 이러한 역할을 해내야 한다고 강력하게 느낄 것이다. 아마도 대표단은 학창 시절, 존경받던 노동운동가 데이비드

두빈스키David Dubinsky의 위인전을 읽었을 수도 있다. 혹은 농민들을 위한 인권운동가인 세자르 차베스Cesar Chavez와 함께 일한 경험이 있을 수도 있다. 이런 경험을 한 사람들이 어떻게 사람들의 기대를 저버릴 수 있겠는가?

사람들은 자신을 지지하는 사람들을 실망시키는 것을 굉장히 힘들어한다. 중동 지역, 이스라엘 사람들과 팔레스타인 사람들 사이에서 지속되는 갈등은 그러한 어려움을 잘 보여주는 사례다. 이 갈등에는 여러 종교 단체, 각 집단 내의 분파, 그 지역에 있는 국가는 물론 다른 대륙에 있는 이해관계자까지 연루되어 있다. 각 집단의 지도자들은 구성원으로부터 엄청난 압력을 받는다. 그들이 소중히 여기는 것(영토, 미래에 대한 희망, 외부로부터 받는 존경)이 무엇이든 그것을 절대로 포기할 수 없다고 지도자들을 압박한다.

1980년대, 알렉산더는 뉴욕 브루클린의 크라운 하이츠 지역에서 거주했다. 그 시기는 브루클린에서 흑인과 유대인 그룹 간의 폭동이 발생한 직후였다. 알렉산더는 갈등 이후 흑인과 유대인들이 어떻게 좀 더 평화롭게 지낼 수 있을지를 모색하던 한 단체와 함께 일하게 되었다. 평화적인 공존에 대한 회의가 여러 차례 이어졌고 매우 의미 있는 대화를 나눴다. 하지만 이런 이야기들은 회의실 밖을 넘어서 실제적 변화로 이어지지는 못했다. 이 단체는 흑인과 유대인 집단이 외부 그룹에 대해 어떤 충성심을 가졌는지 적절하게 진단하지 못했기 때문이다. 흑인과 유대인 각 집단이 상대방에 대해 오랫동안 어떠한 편견을 가졌고 이러한 편견을 바꾸려 하면 어떤 문제와 갈등이 야기되는지 제대로 이해하지 못한 것이다.

충성심을 요구하는 외부 대상 때문에 일어나는 어댑티브 챌린지를 '채소 스튜 이야기'라는 비유로 설명해보려 한다. 채소 스튜를 제대로 요리하려면 각각의 재료가 가진 고유의 색과 맛을 적당히 잃게 해야 한다. 각각의 재료 맛을 다 살리려고 하면 그 요리는 스튜라기보다는 서걱서걱한 채소 요리가 되고 만다. 그렇다고 너무 오래 끓이면 무슨 채소가 들었는지 전혀 알아볼 수 없는 곤죽이 되어버린다.

각각의 채소를 이해관계자라고 상상하고, 당신이 제대로 된 스튜를 만들었다고 가정해보자. 만약 스튜 안에 들어 있던 당근과 양파가 각자 당근 나라와 양파 나라로 돌아간다고 생각해보자. 각자의 맛과 향을 조금씩 잃은 상태로 말이다. 당근과 양파의 가족과 친구들은 그들이 달라졌다는 것을 금세 알아챌 것이다. 다른 당근들은 스튜에 들어갔던 당근에게 이렇게 말할 것이다. "너한테 양파 냄새가 나. 너는 이제 더는 우리와 같은 당근이 아니야.

너 완전히 그쪽 편이 되어버렸구나. 우리를 대표해서 요구를 관철하라고 보낸 거지, 다른 채소 국물을 묻혀 오는 걸 바란 건 아니었어. 그들이 대체 너에게 무슨 짓을 한 거야?"

바로 이것이 스튜가 되었다가 돌아온 당근이 마주하게 되는 실제적인 문제다. 당근이 전혀 변하지 않았거나, 변한 부분을 감출 수 있다거나, 예전의 모습 그대로 재빠르게 돌아갈 수 있다면 당근이 원래 조직에 다시 녹아드는 것은 훨씬 쉬울 것이다. 자신을 지지해왔던 집단에 변화된 모습으로 돌아가는 것은 부담되는 일이다. 그러므로 당신이 시도하고 있는 변화에 이해관계자들을 동참시키기 위해서는 그들이 마주하고 있는 장벽을 이해해야 한다. 즉 그들이 변화를 경험하고 나서 원래 속했던 '당근 나라'(혹은 '양파 나라'나 '렌틸콩 나라' 등)에 돌아가야만 한다는 사실은 그들이 변화에 동참하는 것을 방해하는 요소일 수 있다.

당신이 변화를 이끌어가기 위해서는 조직 내부의 사람들, 즉 직접 문제에 연관된 사람들만이 아니라 그 외의 사람들에게까지 시야를 확장해야 한다. 이해관계자들이 신경 쓰고 있는 외부의 사람들도 고려해야 한다. 당신이 제시하는 변화와 해결책을 함께 논의할 수 있는 내부의 이해관계자들뿐만 아니라, 외부에 있는 그들의 지지자들까지도 어떻게 변화와 해결에 참여시킬 수 있는지 생각해야 한다.

이런 의미에서 각 그룹을 국회의원이나 시의원이라 상상해 보길 바란다. 각각 다양한 욕구를 충족해주기를 바라는 이들을 대표하는 사람들로 말이다. 다음 쪽의 〈그림2-1〉은 어댑티브 챌린지를 해결하기 위해 모인 그룹의 모습을 보여준다. 각각의 이해관계자들은 자신이 속한 분파, 이익집단, 부서, 조직 내 소그룹 의견을 대표하고 있어서, 어댑티브 챌린지를 각기 다른 관점으로 바라보게 된다.

알렉산더와 동료들은 크라운 하이츠 지역 주민에게 각기 다른 인종적, 종교적 집단들을 모아서 공동의 목표와 정체성을 가진 하나의 공동체를 만들자고 설득했다. 하지만 알렉산더와 동료들은 매우 중요한 단계를 빠뜨렸다. 그들은 흑인과 유대인 두 그룹의 대표들이 상대방의 관점을 공유하고 학습할 때 일어날 일을 대비하지 못했다. 각자의 공동체로 돌아간 흑인들은 유대인 집단에 물든 것처럼 보였고, 유대인 그룹에서도 같은 일이 일어났다. 대표들이 각자의 공동체로 돌아갔을 때 이들은 기존 그룹에 대한 충성심을 버린 것처럼 보였다. 두 그룹의 이해관계자들의 대표들은 각각 자신들이 유대인과 흑인이라는 정체성을 다시 증명해야 했고, 상대방에게 어떤 것도 양보하지 않았다는 것을 납득시켜야만 했다. 결국 각 그룹의 대표들 사이의 대화에서 나왔던 훌륭한 의견들은 실현되지 못했다.

채소 스튜 비유는 변화에서 나타나는 역학 관계를 설명하는 것으로 모든 조직에 적용할 수 있다. 몇 년 전 우리는 자사와 비슷한 규모의 회사를 인수한 세계적인 에너지 회사와 함께 일한 적이 있다. 두 회사의 임원들로 구성된 경영진은 두 회사의 활동과 문화를 통합하기 위해 무엇이 필요한지 정기적으로 만나 대화를 나누었다. 그러나 경영진이 신중하게 논의했던 통합 계획은 1년이 지나도 각 조직에 전혀 반영되지 않았다. 동료들에게 변절자라고 평가받을까 두려워한 경영진이 변화를 이끌어가기를 꺼렸기 때문이다. 즉 각자의 그룹에서 변화를 이끌어가기에는 자신이 혹은 서로가 준비되지 못했다.

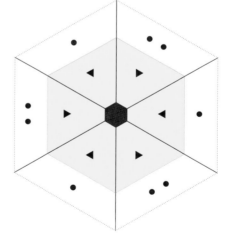

어댑티브 챌린지

✳ 분파

▲ 참여자

● 지지자

〈그림2-1〉 변화의 역학 관계

잠재적 손실을 거론하라

지금까지 말한 대로 어댑티브 리더십을 실천하는 것은 상당한 손실을 초래할 수 있다. 당신이 변화를 만들어가자고 말할 때, 사람들은 당신의 시도가 자신이 중요하게 여기는 가치를 위협한다고 느낄 것이다. 그들이 중요하게 여기는 가치는 그들이 깊게 믿고 있는 것으로 옳고 그름을 판단하는 기준이기도 하고, 세상이 어떻게 돌아가는지 혹은 어떻게 돌아가야 하는지에 대해 그들이 가지고 있는 관점이기도 하다.

한편으로 사람들은 자신의 삶이 안정적이고 예측 가능하며, 익숙하게 유지되기를 바라고 있을 수도 있다. 변화에 대한 저항은 무언가 중요한 것을 잃을 수 있다는 두려움에서 비롯된다. 따라서 당신이 사람들에게 어떤 손실을 감당하기를 바라고 있는지 생각해보면 변화의 과정에서 나타날 정치적 관계를 파악할 수 있다. 당신이 그들의 자아상이나 정체성의 어떤 면을 위협하고 있는가? 당신의 방식을 수용할 경우 그들은 어떤 이득과 혜택을 잃게 될까봐 두려워하는가? 당신은 이러한 잠재적인 손실을 파악하고 그들이 두려움을 이겨내도록 도와야 한다.

손실을 파악하기는 쉽지 않다. 사람들은 손실을 이야기하지

않으려는 경향이 있다. 손실을 이야기하는 것은 이기적이고 자기
방어적이라 생각하기 때문이다. 그렇다면 어떻게 사람들의 손실을
파악할 수 있을까? 그 첫 단계는 조직의 이해관계자들에게 잠재적인
손실이 발생할 것이라고 가정하는 것이다. 그 후 각 이해관계자가 중
요하게 여기는 것(중요한 가치와 덜 중요한 가치)과 잃을 위기에 처
해있다고 여기는 것(당신에게는 그렇게 보이지 않는다 하더라도)이
무엇인지 찾아보라. 이에 대한 아이디어를 얻기 위해 아래에 정리된
잠재적 손실을 살펴보라.

- 정체성
- 역량
- 안정
- 안전
- 명성
- 시간
- 돈
- 권한
- 통제
- 지위
- 자원

- 독립성
- 정의
- 일자리
- 생활

　예를 들어 비영리 기관의 관리자들은 어댑티브 챌린지에 대응하는 필요한 새로운 기술을 습득하기 위해 노력하는 동안 잠재적 수입원을 잃게 되지는 않을까 두려워할 수 있다. 하지만 더 많은 수입을 올리는 것이 대다수 비영리 기관에서 가장 중요하게 여기는 가치는 아니기에 관리자들은 이러한 두려움을 터놓고 표현하지는 않을 것이다. 그러므로 당신은 이런 고민을 감추고 있는 사람들의 행동을 더 깊게 관찰하고 해석해야 한다.

감춰진 동맹 관계를 찾아라

어댑티브 리더십을 실천하고자 할 때 당신은 다른 이해관계자 그룹 안에 감춰진 동맹 관계를 마주하게 될 것이다. 이러한 동맹 관계는 당신이 어댑티브 리더십을 발휘하는 데 도움을 줄 수도 있고 제동을 걸 수도 있다. 동맹alliances 사이의 정치적 관계를 파악하면 당신을 지지하는 동맹을 유리하게 활용하고 반대하는 동맹은 약화시키는 방법을 찾을 수 있다.

몇 해 전 마티가 매사추세츠 주 의회에서 경험한 사건이 좋은 사례다. 당시 국회의원들은 타 종교 간 입양cross-religious adoptions을 허용하여 입양 절차를 수월하게 하는 새로운 법안을 발의했다. 그러나 법안의 시행은 일부 종교 단체와 보수주의자들의 완강한 반대로 인해 여러 해 동안 지연되고 있었다. 그러자 이 법안을 지지하는 국회의원들은 자기 자신이 입양아거나, 입양된 자녀 혹은 형제가 있거나, 아니면 주변 사람들(배우자나 친구)이 입양을 경험한 국회의원이 누구인지 찾아보기 시작했다.

법안 지지자들은 입양과 관련된 개인적 관계를 활용하여 정책을 반대하는 사람들에게 다가갔고, 종교적 신념이나 보수주의와 같은 가치보다는 우정과 가족애 같은 가치를 부각해서 반대파를 설득하기 시작했다. 그러자 반대편에 섰던 의원들은 그 법안이 그들 자신의 신념과 충성심에도 잘 부합하는 것으로 바라보게 되었고, 마침내 그 법안은 법적 효력을 갖게 되었다. '로펌에서 동맹 관계 형성하기'는 반대 입장에 있는 이해관계자 중에서 어떻게 새로운 동맹 관계를 찾아내는지 잘 보여주는 사례다.

로펌에서 동맹 관계 형성하기

대형 로펌에서 파트너로 일하고 있는 제리는 자신의 로펌이 사회 공헌으로 더 많은 무료법률 서비스를 제공하기를 원했다. 하지만 회사는 늘 그랬던 것처럼 수익 창출에 최대한의 시간을 확보하는 데 집중하고 있었다. 한편 로펌 내에서 업무 능력이 뛰어난 많은 변호사는 경쟁심도 강하기 때문에 외부에서 발표되는 로펌 순위에도 굉장히 신경을 쓰는데, 이 순위의 평가 항목에는 로펌의 무료 법률 서비스 제공 횟수도 포함되어 있었다.

제리는 무료 법률 서비스가 지닌 이타적 가치를 강조하며 자신의 의견을 내세울 수도 있었지만 그는 조금 더 요령 있는 방법을 택했다. 제리는 무료 법률 서비스 항목에서 회사의 순위가 비교적 낮다는 사실을 지적하여 몇몇 경쟁심 강한 변호사들을 자신의 편으로 만들었다. 또한 유능한 변호사들이 관심을 가질 만한 사회 문제와 비영리 기관을 찾고, 변호사들이 이러한 문제를 해결하는 데 시간을 낼 수 있도록 장려하여 회사의 무료 법률 서비스 횟수를 늘려갈 수 있었다.

변화를 이끌어가기 위해 어떻게 숨어 있는 협력자를 찾아내고 동맹의 역할을 형성할 수 있는가? 회사 조직도를 들여다보라. 조직도에는 가장 분명하고 공식적인 이해관계자 그룹(부서와 역할 등)이 나타나 있다. 조직도에 나타난 공식적 보고 체계, 역할, 상하 관계를 넘어서 공통적 요소를 가진 각 집단 내의 하위 집단을 찾아보라. 예를 들어 부서와 직급이 다르더라도 국적과 성별이 같은 사람들 안에는 공통되는 이해관계나 관심사, 가치가 있을 수 있다. 그들이 공통으로 지닌 가치를 활용해 당신의 변화 과업에 동참하게 만들 수 있다. 아래와 같이 공통점을 가진 하위 집단을 잘 생각해보라. 이들을 살펴보면 당신이 조직에서 변화를 이끌 때 어떤 잠재적 협력자가 있는지 파악하는 데 도움이 된다.

나의 잠재적 협력자 찾기

- 직속 상사와 부하직원
- 새로 입사한 사람과 장기근속 직원
- 은퇴를 앞둔 사람들과 정년이 아직 많이 남은 사람들
- 자녀가 독립한 사람들과 자녀와 한집에서 사는 사람들
- 인종, 정치, 민족 등이 다른 구성원들과 '다르다'고 구분되는 사람들

- 조직원과 외부 컨설턴트
- 현재 최고 경영자가 채용한 사람들과 다른 사람이 채용한 사람
- 고객을 직접 대면하는 사람과 그렇지 않은 사람

Q 1 당신이 조직을 위해 더 과감하게 행동하지 못하고 있다면 그것을 주저하게 하는 요소가 무엇인지 생각해보라.

Q 2 만약 당신의 머릿속에서 더 많은 위험을 감수하지 말라고 말하는 목소리가 있다면, 그것은 누구의 목소리이고 뭐라고 말하고 있는가?

Q 3 당신이 위험을 감수하고, 안건을 제시하고, 열정적으로 토론하는 것을 주저하게 만드는 것은 무엇인가?

현장에서 적용하기

Q 1 조직에서 다루었으면 하는 어댑티브 챌린지와 그 문제를 해결하는 데 도움이 될 방법을 찾아보라. 그 방법과 관련되는 이해관계자들을 〈표2-3〉에 채워보라.

Q 2 무언가의 공통점을 가지고 있으며, 당신의 변화 시도를 지지할 수 있는 이해관계자들의 하부 집단을 나열해보라. 그들은 조직에서 어떤 위치에 있으며(역할과 상하 관계 등) 그리고 무엇을 공유하고 있는지(인종, 나이, 가족 부양, 정년 등)를 정리해보라.

Q 3 당신이 변화를 시도할 때 발생할 수 있는 손실을 조직 내의 각 그룹이 수용할 수 있도록 도와줄 수 있는 새로운 전략을 개발하라.

어댑티브 챌린지 :

변화를 위한 계획 :

이해관계자 (개인 또는 집단)	어댑티브 챌린지와 어떻게 연결되어 있는가?	그들이 선호하는 결과는 무엇인가?
가장 중요하게 여기는 가치는 무엇인가?	어떤 충성심을 가지고 있는가?	예상되는 잠재적 손실은 무엇인가?

〈표2-3〉 어댑티브 챌린지와 변화를 위한 계획

변화 역량을 갖춘 조직의 특징

Qualities of an Adaptive Organization

조직을 진단하는 데는 시간과 사려깊은 사고, 용기가 필요하다. 조직을 진단하는 것은 (1) 조직의 시스템을 진단하고, (2) 현재 조직이 직면한 어댑티브 챌린지가 무엇인지 살피며, (3) 조직 내부의 정치적 관계를 이해하는 일이기 때문이다. (4) 진단을 제대로 하기 위해서는 조직 내외부의 이해관계자들을 참여시켜야 하는데, 이는 창의적이고 유연하게 실행해야 하는 일이다.

이러한 과정을 잘 해내는 조직은 매우 정교하고 예민하게 외부 자극을 감지하는 센서가 작동하고, 내부 규범이 존재하며, 이런 업무를 제대로 수행하는 인력을 충분히 보유하고 있다. 그렇다면 변화에 더욱 잘 대응하는 조직은 어떠한 점에서 다른 조직들과 다른가? 무엇이 조직을 변화에 더 잘 적응하게 하는가? 그런 조직의 핵심적인 특징을 다섯 가지로 정리해보았다.

1. 방 안의 코끼리를 이야기한다.
2. 조직의 미래에 대한 책임을 공유한다.
3. 모두의 독립적 판단을 가치 있게 여긴다.
4. 리더십 역량을 개발한다.
5. 성찰과 지속적인 학습이 구조화되어 있다.

이 다섯 가지의 특징을 하나씩 살펴본 후에 당신의 조직을 평가해보는 워크시트를 채워보라. 이 장 마지막의 〈표2-4〉을 사용하여 자신의 조직이 변화에 잘 준비되었는지 점검해보라. 또한 어떻게 조직의 변화 적응 역량을 높일 수 있을지 고민해보라.

방 안의 코끼리를 이야기한다

조직에서 이루어지는 회의에서는 다음과 같은 네 가지 형태의 대화가 동시에 일어난다.

(1) 공식적이고 밖으로 드러나는 대화다. 모두 한자리에 모였기 때문에 표면적으로라도 이루어지는 대화다.

(2) 비공식적으로 이루어지는 대화다. 예를 들어 일상적인 수다, 복도에서 나누는 대화, 또는 본 회의가 열리기 전 참석자 중 일부만을 불러서 진행하는 사전 회의 등이 있다.

(3) 참석자의 머릿속에서 진행되는 내적 대화다. 이는 회의 안건과 관련하여 참석자의 머릿속에서 일어나는 일련의 활동이다. 이 내적 대화에는 발코니에 올라가서 생각하고 관찰하고 해석한 것이 포함된다. 즉 사람들이 공개적

으로 드러내지 못한 곤란한 문제들, 아무도 입 밖으로 꺼내지 못한 방 안의 코끼리에 대한 생각과 해석과 관찰이 펼쳐지는 것이다.

(4) 대화는 회의가 끝나고도 일어난다. 이런 대화들은 회의가 끝난 후, 커피 자판기 앞에서나 이메일을 통해 이루어진다. 이런 대화에는 회의 중에 정말 일어난 일은 무엇인지, 다루어지지 못한 주제는 무엇인지, 공개적으로 표현되지는 않았지만 긴장감이 돌았던 순간들에 대한 의견들이 주를 이룬다.

변화 역량이 높은 조직에서는 공식 회의에서 거론할 수 없는 민감한 주제가 존재하지 않고, 어떤 주제에 대해서도 질문이 가능하다. 또한 현재 조직의 운영 방식을 흔들어놓을 수 있는 외부 환경의 변화가 감지되면 누구나 회의에서 그것에 대해 말할 수 있다.

현재의 운영 방식을 실현하고 보호하는 경영진에게도 언제든지 문제를 제기할 수 있을 뿐만 아니라 그런 문제 제기를 권장한다. 실제로 누군가 무거운 질문을 하거나 힘든 문제를 제기했을 때, 경영진은 그 문제가 자신이나 조직원을 매우 불편하게 할지라도 용기를 내 문제를 제기한 사람을 보호하고, 제기된 문제들이 논의될 수 있도록 한다. 그러므로 변화 역량이 높은 조직에서는 문제가 통제 불가능해지기 이전에 빨리 발견된다. 구성원들은 코끼리의 존재를 빨리 인식하고 이에 대해 논의할 수 있는 방식과 절차를 만든다. 그래서 각자 마음속에 숨기고 있던 의견들이 비교적 빠르게 조직적인 논의로 발전한다.

인텔의 최고 경영자였던 앤디 그로브Andy Grove는 인텔이 조직 내외부에서 떠오르는 위협과 기회를 편집증적이라고 할 만큼 예민하게 검토한다고 했다. 그리고 그런 문화가 인텔이 시장에서 민첩하게 움직이는 회사가 되는 데 이바지했다고 말한다. 이런 관점을 적용해본다면, 회의를 주관하는 역할을 맡은 사람은 다음과 같은 질문을 정기적으로 던져야 한다.

"우리가 놓치고 있는 것이 있을까요? 우리가 생각해보거나 토의해보지 못한 아이디어나 관점들이 있을까요?" "회의를 마치기 전에 다시 한번 생각해봅시다. 아직 수면 위로 떠 오르지 않았지만, 논의해야 할 주제가 있을까요?"

조직의 미래에 대한 책임을 공유한다

대부분 조직에서 사람들은 직함을 갖고 명확하게 구분된 팀과 부서에서 일한다. 이런 직함과 기능적인 구분은 조직에서 각자의 책임과 보고 체계를 분명하게 하기 위해 필요한 것이다. 하지만 직함과 부서의 구분은 또 다른 영향을 미치기도 한다. 이런 구조 속에서 사람들은 지엽적인 시각을 가지기 쉽고, 자신이 속한 영역만을 보호하는 경향이 생기면서 조직 전체에 대한 충성심은 서서히 줄어들 수 있다. 더욱 심각한 것은 변화에 적응하기 위해서는 영역의 경계를 넘나드는 조직 운영 역량이 필요한데 이 역량이 저하될 수 있다.

변화 역량이 높은 조직에서는 구성원들이 자신의 구체적 역할과 업무를 이해하고 있을 뿐만 아니라 조직의 미래에 대한 책임을 공유한다. 구성원들이 조직에 대한 책임감을 공유하면 조직 전반에서 다양한 방식으로 책임감이 발휘된다. 예를 들어 회의 시간에 사람들은 자신의 업무 이외의 안건에 대해서도 의견을 제시한다. 한 부서에서 복잡한 문제가 발생하면 다른 부서의 리더들도 그 문제를 자신들의 문제로 여긴다. 조직의 보상 시스템은 개별 팀의 실적보다는 조직 전체의 실적을 더 중요하게 평가한다. 문제 해결을 위한 부서 간 협업이 일상적으로 일어난다. 부서 간에 팀원 이동이 일어나기도 하고, 조직의 구성원들은 자신이 당장 해결해야 하는 업무가 아니더라도 조직의 문제에 대해서도 깊게 고민을 한다. 도요타의 예를 들어 보자. 도요타는 생산 라인의 노동자가 어떤 문제를 발견하면 자신이 맡은 영역이 아니더라도 누구나 생산 공정을 멈출 수 있는 규칙을 만들고 지켜나가는 것으로 유명하다.

모두의 독립적 판단을 가치 있게 여긴다

만약 조직의 구성원들이 대표나 경영진이 언제나 정답을 알고 있지 않다는 것을 이해한다면, 그 조직은 어댑티브 챌린지를 더 잘 인식하고 해결할 수 있다. 이런 조직에서는 경영진이 자신의 전문 영역이 아닌 문제에 대해서도 기꺼이 의견을 낸다. 또한 동료들과 건강한 논의를 나누고 난 후에는 자신 뜻을 유연하게 바꾸기도 한다. 말하자면 '자기 태도를 고수하는 것'이 중요한 가치가 아니다.

　1963년 쿠바 미사일 공격이 일어나자, 존 F. 케네디 대통령은 이 위기에 대응하기 위해 사람들을 불러 모았다. 그중 몇몇은 특정 영역의 전문성을 갖추고 있어 초대되었고 다른 몇몇은 그들의 전문 분야와 상관없이 초대되었는데, 케네디 대통령이 그들의 판단력을 존중했기 때문이다. 위기에 어떻게 대처할지 논의하고, 의견을 제시하며 정교하게 논리를 다듬고, 의견을 수정해 갈 때마다 회의 참석자들은 자신들의 입장을 유연하게 바꿀 수 있었다. 구성원들의 판단을 존중하는 조직에서는 '윗사람이 무엇을 할 것인가?'라는 질문이 아니라 '조직의 사명을 이루기 위해 최선을 다해야 할 것은 무엇인가?'라는 질문이 중요하다. 이런 조직에서는 의사결정과 아이디어 도출을 끌어내는 실제적인 규칙들이 존재하고 이러한 규칙들은 조직의 문화 속에 깊이 새겨져 있다.

리더십 역량을 개발한다

대부분 조직은 구성원들이 자신의 재능을 개발할 수 있는 일련의 과정을 마련하여 조직의 변화 적응 역량을 향상한다. 이는 단지 사람들을 세미나에 보내는 것을 의미하지 않는다. 조직을 변화시키기 위해서는 그 조직의 미래를 장기적인 관점으로 바라보고 진심으로 관심이 있는 사람들이 필요하다. 그리고 이러한 인재들의 중요성을 깨달을 때, 조직은 개인들을 성장시키는 데 에너지를 집중할 수 있다.

어댑티브 리더십이 있는 최고 경영자들은 구성원들을 성장시켜야 할 책임자가 인사부서 담당자가 아니라 바로 리더인 자신이라는 것을 잘 알고 있다. GE의 최고 경영자였던 잭 웰치Jack Welch는 이 역할을 매우 중요하게 생각한 리더였기 때문에 GE의 성장에 크게 이바지했다. 어댑티브 리더십을 발휘해야 하는 리더가 수행해야 할 가장 중요한 임무는 적합한 사람right people을 선발하여, 적합한 역할right roles을 부여하고, 적합한 업무right jobs를 할 수 있게 만드는 것이다.

관리자의 일상 업무는 단순히 사람을 채용하는 역할을 넘어 구성원의 리더십 역량을 강화하는 것이 되어야 한다. 컨설팅을 통한 훈련과 교육은 직무 현장 교육 훈련on the job training을 대체할 수 없다. 리더십은 구체적인 실행을 통해 길러지며, 리더십 훈련은 업무 현장과 가까운 곳에서 이루어져야 한다. 인재를 성장시키는 것이야말로 변화 적응 역량의 핵심이라고 이해하는 조직에서는 핵심 인재들의 잠재력을 극대화하기 위해서 무엇을 해야 할지 이해해야 한다. 그뿐만 아니라 그들이 어떤 영역에서 가장 크게 기여할 수 있을지 이해하고, 그들이 해야 할 구체적인 실무를 명확하게 알려주어야 한다.

한편 조직이 리더십 전환을 위해 어떤 계획을 하고 있는지 점검하는 것도 중요하다. 우리는 경영자들에게 다음과 같은 질문을 하곤 한다. 경영자들이 자신만큼이나 업무를 잘 해낼 수 있는 인재 두세 명을 조직 안에서 찾아냈는지, 만약 그렇다면 그들을 더욱 성장시키기 위해 무엇을 하고 있는지 말이다. 예를 들어 GE에는 리더십 전환에 관한 다양한 사례들이 존재한다. 1981년 당시 최고 경영자였던 레지널드 존스Reginald Jones가 잭 웰치에게 리더십을 승계했던 과정은 하버드 경영대학원에서 연구 사례로 다룰 정도로 인상적이었다. 하지만 많은 조직은 리더십을 승계할 계획을 세우기보다는 기존 리더십을 지속시키려는 계획을 개발하는 데 더 몰두하곤 한다. 우리가 만났던 한 조직의 경영진은 직원들의 높은 이직률이 자신들의 조직에는 오히려 좋은 것이라고 해석하고 있었다. 그들은 뛰어난 젊은이들을 채용했지만, 몇 년 동안만 조직에 머물다가 이직할 것이라고 가정했다. 경영진은 젊은이들에게 일할 기회를 제공했다는 것에 만족하고 그들을 성장시키기 위한 투자는 거의 하지 않았다.

그러므로 뛰어난 젊은이들이 조직의 경영자로 성장하지 못할 수밖에 없다. 사업을 장기적으로 바라보면서 조직 내의 인재들에게 개인적인 투자를 하는 리더들이 없다면, 그 조직은 변화에 대한 적응력이 약해질 수밖에 없다. 조직 외부에서 일어나는 변화를 제대로 포착할 수 있는 훈련된 사람들이 없다면, 변화에 적절하게 대응하는 것이 불가능하기 때문이다.

성찰과 지속적 학습이 구조화되어 있다

변화에 제대로 대응하기 위해서는 주변에서 일어나는 상황을 새롭게 해석할 수 있어야 하고 업무를 수행하는 새로운 방식들을 학습해야 한다. 변화 역량이 뛰어난 조직은 학습에 개방적이고 또한 헌신적이다. 하지만 이런 학습의 문화를 만드는 것은 말처럼 쉽지 않다. 사람들은 직위가 올라갈수록 자신이 모든 문제에 대한 답을 알지 못한다는 것을 인정하지 않는다. 그들은 문제를 해결해 내고, 단호한 결정을 내려온 것으로 조직에서 인정을 받아왔다. 그런 조직의 보상에 익숙해질수록 사람들은 자신에게 해답이 없다는 것을 인정하기가 어려워진다. 그 결과, 많은 조직에서 경영자들은 자신이 학습하기보다는 부하직원들에게 학습의 기회를 주는 것에 익숙하다.

하지만 열린 자세로 학습하는 것은 조직의 변화 역량을 키우기 원하는 모든 사람에게 중요한 자질이다. 직위의 높고 낮음에 상관없이 조직의 모든 구성원은 자신이 모르는 것이 무엇인지, 학습해야 할 영역이 무엇인지 제대로 이해해야 한다.

지금의 시대는 경험이 많은 전문가들조차도 자신의 역량을 넘어서는 일을 감당해야 할 때가 많다. 그러므로 어댑티브 챌린지를 해결하는 것은 수업을 듣거나, 컨설턴트를 고용하거나, 다른 회사의 성공 사례를 따라 한다고 되는 것이 아니다. 사회적, 정치적, 경제적 상황들이 변화되면서 기존의 지식이 더는 효력을 발휘하지 못하므로 낡은 지식을 버리고 새로운 실험에 열린 마음을 가져야 한다. 지속적인 학습 문화는 조직에서 어떤 형태로 구현되는가? 여기 몇 가지 예시가 있다.

지속적인 학습 문화를 이끄는 조직의 특징

- 실수하거나 새로운 방식을 실험하는 사람들이 소외되지 않는다. 도리어 조직에 필요한 경험을 공급해주는 지혜의 원천으로 존중받는다. 예를 들어 한 은행의 최고 경영자는 큰 실수를 저지른 사람들을 정기적으로 찾아가서 그들이 그 과정에서 학습한 것을 정리하도록 돕고, 새롭게 얻은 지식을 동료들과 나누게 한다.

- 전략적 결정을 내릴 때 현장 실무담당자들의 의견이 반영된다. 경영진은 가장 유용한 지식이 현장에서 나오는 것임을 이해한다. 현장에서 일하는 사람들, 생산 라인을 책임지는 사람들, 일상적인 업무를 다루는 사람들에게 핵심 지식이 있음을 아는 것이다. 그들이 고객과 상품 그리고 주요 이해관계자들과 직접 접촉하는 이들이기 때문이다. 이런 조직들은

구성원들의 의견을 반영하여 실행 전략을 세운다.

- 워크숍과 MT 등이 정기적으로 열리고 모든 직급의 구성원들이 참여한다. 이런 모임에서는 일방적인 강의, 상명하달식의 소통이 아니라 양방향의 대화가 이루어진다. 다양한 그룹이 함께 안건을 정하고, 안건에 포함되지 않은 이슈를 논의하는 시간도 배정된다.

- 고객이 감소했다거나 입찰에서 떨어지는 것처럼 좋지 않은 일이 발생했을 때, 그 소식이 올바르게 인지되고, 이 사건이 문책의 원인이 되지 않으며, 사건을 통한 교훈이 무엇인지 공유된다.

- 자신을 재충전하고 새로운 관점을 얻을 수 있도록 간부들에게 안식년이나 휴가를 권장한다.

- 의사소통과 상호작용이 자유롭게 일어난다. 공식적인 소통뿐 아니라 비공식적인 소통도 얼마든지 가능하다. 부서, 직급, 지역, 나이, 국적 등이 달라서 같이 일할 기회가 적은 다양한 그룹들이 모일 기회를 제공한다. 경영진은 조직 안팎의 사람들이 면대면으로 만날 기회를 제공해서 더 많은 학습이 이루어지게 노력한다. 이런 만남을 통해 서로의 업무와 관점을 이해하도록 돕고, 다른 각도에서 조직을 바라볼 수 있는

관점을 경험하게 한다.

- 경영자는 구성원들이 체계적이고 정돈된 분석을 발표하는 것도 좋아하지만 개인의 솔직한 생각과 성찰을 드러내는 것도 환영한다. 예를 들어 어떤 회의에는 특별한 안건이 존재하지 않고, 구성원들이 조직의 과거, 현재, 미래에 대해 어떻게 느끼고 생각하는지를 말할 수 있게 한다.

- 조직의 고위 경영진도 코칭을 받을 수 있도록 지원한다. 조직 외부에서 코칭을 받을 수 있게 장려하면, 리더가 고립된 상태에서 벗어나는 데 도움이 된다. 고립된 상태를 지속하면 리더의 변화 적응 역량이 저하될 수 있으므로 이와 같은 코칭은 매우 중요하다.

- 전략을 절대 고쳐서는 안 되는 경전처럼 생각하지 않는다. 전략이란 현재 상황에서 최선이라고 생각하는 계획일 뿐이다. 전략을 하나의 가정으로 간주하고, 새로운 정보가 생길 때마다 계속 다듬어간다.

발코니에서 바라보기

Q 1 학습이 일어나도록 촉진하는 구조는 무엇인가? 개인이 경험을 통해 학습한 중요한 깨달음이 조직원들과 공유되는가? 또는 집단적인 학습이 일어나는 메커니즘이 존재하는가? 사후 보고나 팀별 결과 보고가 진행되는가? 다음 해의 예산과 사업 계획을 세울 때, 기존의 예산과 사업 계획에서 변화를 주고 싶게 만드는 동기는 무엇인가? 사람들이 조직에서 실패할 때 어떤 일이 일어나는가? 주변으로 밀려나는가 아니면 실패를 통해 깨달은 것이 공유되는가?

현장에서 적용하기

Q 1 변화 적응 역량이 높은 조직의 다섯 가지 특징과 비교해 볼 때, 당신의 조직은 어떠한가? 〈표2-4〉를 팀원들과 함께 작성해보라. 다섯 가지 범주에 대해 1부터 10까지 점수를 매기고 결과에 대해 함께 토론하고 해석하라. 어떤 항목의 점수가 높아지도록 노력해야 할지 스스로 질문해보라. 특정 항목의 점수를 높여야 한다면, 각 사람은 무엇을 해야 하는가?

변화를 이끄는 조직의 특징	내용
방 안의 코끼리 이야기하기	사람들 머릿속에서 떠오른 생각들이 커피 자판기 앞의 수다로 표현되고, 나아가 회의실의 대화로 나오기까지 얼마나 많은 시간이 걸리는가? 얼마나 빨리 위기 상황이 파악되고, 나쁜 소식이 논의되는가? 말할 수 없는 것을 말할 수 있도록 만드는 조직 구조나 보상, 지원이 존재하는가?
평가	1 2 3 4 5 6 7 8 9 10 매우 낮음 매우 높음
조직 미래에 대한 공유된 책임 가지기	구성원, 특히 경영진은 개별 집단이나 부서를 보호하거나 격정하는 데 몰두하지 않고, 조직 전체를 생각하는 관점을 가지고 조직 전체의 개선을 위해 행동하는가?
평가	1 2 3 4 5 6 7 8 9 10
독립적 판단을 중요시하기	구성원들은 상사가 좋아하는 일을 무조건 하기보다는 자신의 판단을 가치 있게 여기면서 일하는가? 어떤 사람이 위험을 감수하고 조직의 사명을 추구하다가 그 시도가 실패했을 경우, 조직에서는 이 시도를 개인의 실패가 아닌 학습의 기회로 여기는가?
평가	1 2 3 4 5 6 7 8 9 10

변화를 이끄는 조직의 특징	내용
리더십 역량 개발하기	구성원들은 조직에서의 자신의 위치와 자신의 성장 잠재력을 얼마나 알고 있는가? 그들의 잠재력을 어떻게 키울지에 대한 합의된 계획이 존재하는가? 그들은 경영진이 자신들을 후임자를 선택하고 리더로 훈련하기를 어느 정도로 기대하는가?
평가	1 2 3 4 5 6 7 8 9 10
성찰과 지속적 학습을 구조화하기	조직은 개인적이고 집단적인 성찰이 이루어지도록, 또한 경험을 통한 학습이 이루어지도록 얼마나 시간을 할애하는가? 어떻게 하면 업무를 더 잘할 수 있을지 논의하려고 할 때, 조직은 시간, 장소, 자원을 어느 정도까지 할애하는가?
평가	1 2 3 4 5 6 7 8 9 10

〈표2-4〉 당신의 조직은 얼마나 변화 적응적인가?

용어 해설

개입 intervention
변화적 과제 해결을 위해 사람들을 움직이는 일련의 행동들 또는 특정 행동을 뜻한다. 의도적으로 아무 행동을 하지 않는 행위도 개입으로 간주한다.

공식적 권한 formal authority
조직에서 기대하는 업무를 달성하도록 부여된 명확한 권력으로, 직무 기술서에 혹은 법적으로 명시되어 있다.

과업 회피 work avoidance
조직 내 나타나는 의식적 혹은 무의식적 행동 유형으로, 변화적 도전을 해결하고 나아가는 것은 외면한 채, 사회적 안정 상태만을 회복하기 위해 관심을 분산시키거나 책임을 다른 데로 돌리는 행위를 말한다.

관찰 observation
객관적인 관점을 유지하면서 가능한 많은 정보원을 통해 관련 자료들을 모으는 것이다.

관행 default
일에 대한 일상적이고 습관적 반응으로 되풀이해서 일어난다.

권한 authority
조직에서 업무 수행에 대한 대가로 위임된 공식적 또는 비공식적 권력이다. 권한을 가진 사람들은 다음과 같은 기본적인 업무 또는 사회적 기능을 수행한다. ① 방향 설정 ② 보호 ③ 질서 유지

마음 below the neck
인간의 비지성적 능력으로 정서적, 영적, 본능적, 반사적 운동 능력 등을 포함한다.

말속에 감춰진 노래
song beneath the words
사람의 말속에 암시적으로 숨겨져 있는 의미로 몸짓, 어조, 목소리의 강약, 단어 표현 등을 통해 나타난다.

목적 purpose
조직 및 정치 영역의 활동들에 의미 있는 지향점을 제공하는 중요한 방향을 일컫는다.

반대파 opposition
당신의 의견이 받아들여질 경우 위협을 느끼거나 손실을 경험하게 될 그룹 및 분파를 말한다.

발코니에서 바라보기
getting on the balcony

거리를 두고 바라보는 것을 말한다. 문제가 소용돌이치는 무도회장에서 벗어나는 정신적 행동으로 자기 자신과 전반적인 시스템을 관찰하고 관점을 얻기 위한 것이다. 무도회장에서는 보이지 않는 유형들을 볼 수 있다.

방 안의 코끼리 elephant in the room

조직 혹은 공동체에 존재하는 문제로, 모두가 알고 있지만, 공개적으로 논의하지 않는 어려운 문제를 말한다.

방 안의 코끼리 이야기하기
naming the elephant in the room

변화적 과제 해결에 있어 중요한 이슈임에도 불구하고 안정 상태를 유지하고자 무시되어 온 문제를 거론한다.

번성하라 thrive

고귀한 가치를 추구하며 살아가는 것이다. 이를 위해서는 변화에 적극적으로 대응하는 것이 필요하다. 이는 본질적인 것과 버려야 할 것을 구분하고 혁신을 통해 사회 시스템이 과거로부터 가장 좋은 것을 취해 미래로 가져갈 수 있어야 한다.

변화 적응 역량 adaptive capacity

변화에 대한 압박이 높아지고 그로 인한 불안정한 상태가 지속하고 있을 때, 문제를 정의하고 해결하는 데 참여하는 조직원의 회복 탄력성과 조직의 역량을 말한다.

변화 적응 adaptation

변화에 성공적으로 적응하게 되면 생물 유기체는 새롭고 도전적인 환경에서도 번성할 수 있다. 변화 적응 과정은 보수적이면서 진보적이라 할 수 있는데, 이는 과거의 전통, 정체성, 역사로부터 최선의 것을 취하여 미래로 나아가기 때문이다.

변화 적응적 과업 adaptive work

지속적인 조직의 불안정 상태에서 조직원이 보존하거나 처분해야 할 문화적 유전자는 무엇이고, 새롭게 개발하거나 발견해야 하는 새로운 유전자는 무엇인지 확인하여 조직이 새롭게 번성하도록 하는 것이다. 즉 조직원들이 성공적으로 변화에 적응해가는 학습 과정이다.

분파 faction

조직 내 나뉘어 있는 그룹으로 ① 관습, 권력 관계, 충성심 및 이해관계에 의해 같은 관점을 가지고, ② 상황을 분석하는 자신들만의 방식과 자신들에게 유리하게 이해관계, 문제, 해결책을 정의하는 내적 논리 체계를 가지고 있다.

불안정 상태 disequilibrium

변화적 과제로 인한 긴박함, 갈등, 불협화음, 긴장의 정도가 증가하면서 조직 안정성의 부재 상태를 일컫는다.

어댑티브 리더십 daptive leadership,
변화 리더십

변화 적응적 과업을 위해 사람들을 행동하게 하는 활동이다.

어댑티브 챌린지 adaptive challenge,
변화 적응적 도전

번성을 위해 사람들이 추구하는 가치와 가치를 실현할 역량 부족으로 인해 직면한 현실 사이의 격차를 말한다.

역할 role

사회 시스템에 존재하는 일종의 기대로, 개인 및 집단이 마땅히 해야 한다고 여겨지는 일들을 정의한다.

욕구 hunger

인간은 일반적으로 ① 권력 및 통제 ② 지지와 인정 ③ 친밀감과 즐거움을 성취하고자 한다.

의식 ritual

공동체의 동질감을 조성하는 데 기여하는 상징적 행위를 말한다.

진전 progress

급격하게 변하는 환경에서 사회적 시스템들이 성공적으로 번성하도록 새로운 역량을 개발하는 것이다. 집단, 공동체, 조직, 국가 및 세계의 상태가 개선되도록 이끄는 사회적, 정치적 학습 과정을 의미한다.

집중 attention

리더십의 핵심적인 자원이다. 계속되는 불안정한 시기 동안 변화적 과제에서 진전을 이루기 위해서 리더는 까다로운 질문들을 통해 사람들의 참여를 유지할 수 있어야 한다.

파트너 partners

협력자가 되어주는 개인이나 그룹으로 믿을 만한 사람을 포함한다. '협력자ally' '믿을 만한 사람confidant'을 참조하고 둘 사이의 차이점을 확인하라.

해석 interpretation

상황을 이해하는 데 도움이 되도록 행동 유형
들을 파악하는 것을 말한다. 해석이란 이해하
기 쉬운 사고방식과 이야기 구조를 적용하여
가공되지 않은 상태의 정보들을 설명해가는
과정이다. 많은 상황에서 다양한 해석이 가능
하다.

협력자 ally

공동체 내에서 특정 이슈에 대해 같은 입장을
가진 조직원을 일컫는다.

회복 탄력성 resilience

계속되는 불안정 상태를 견딜 수 있도록 개인
및 안아주는 환경의 역량을 말한다.

Adaptive Leadership
어댑티브 리더십
2부 방 안의 코끼리 – 시스템을 진단하라

초판 1쇄 발행 2017.07.15
개정판 1쇄 발행 2022.08.25

지은이 로널드 A. 하이페츠, 알렉산더 그래쇼, 마티 린스키
옮긴이 진저티프로젝트 출판팀
번역검수 김남원, 전혜영
감수 강진향, 서현선, 안지혜
교정교열 고가은, 김영재, 김윤수, 최예은
디자인 정선은
마케팅 홍승현
인쇄 북토리 | 이광우

발행인 김고운, 홍주은
발행처 (주)진저티프로젝트
주소 서울 마포구 양화로 12길 8-5 세르보빌딩 2층
홈페이지 www.gingertproject.co.kr
이메일 info@gingertproject.co.kr
인스타그램 @gingertproject

ISBN 979-11-976714-6-3 (04320)
ISBN 979-11-976714-4-9 (세트)